KB137566

국립극단 희곡선5

로드킬 인 더 씨어터 | 구자혜

국립극단

일러두기

본 출판본은 국립극단 희곡선을 위해 정리한 것으로, 실제 공연과 일부 다를 수 있습니다.

작품 정보

<로드킬 인 더 씨어터>는 국립극단 제작으로 2021년 10월 22일 명동예술극장에서 초연되었다. 초연 창작진 및 배우는 다음과 같다.

작·연출	한글자막	연주
구자혜	이효진	안마루
무대·조명	**음성해설 작**	
여신동	조연희 구자혜	
의상		
우영주	**배우**	
음악	고애리	
이지구 안마루	문예주	
사운드	박경구	
목소	박소연	
안무	백우람	
최기섭	성수연	
분장	이리	
장경숙	이상홍	
조연출	이유진	
류혜영 이효진	전박찬	
수어통역	최순진	
김홍남 최황순		

* 한 배우가 여러 역할을 맡기도 하고, 한 역할을 여러 배우가 연기하므로 배우진과 배역을 별도로 표기함.

배역

A	아이
B	동네사람1
통역사	동네사람2
사람1	동네사람3
사람2	동네사람4
사람0	동네사람5
라이카	동네사람6
벨카와 스트렐카	동네사람7
화이트 테일	동네사람8
고라니	동네사람9
DJ	동네사람10
북미멧새	클레파
개 혹은 고라니	동네사람
개 혹은 라이카	비둘기1
개	비둘기2
부모1	비둘기3
부모2	

작가의 말

현실에서 누구나 무엇이 될 수 있듯이 연극에서도 마찬가지이다. 동시에, 존재는 현실에서도 무대에서도 하나로 정체화되지 않기를 주장한다. 이 연극에서 동물들의 죽음은 의도적 은유이자 실체이다.

2021년 가을
구자혜

연극 〈로드킬 인 더 씨어터〉의 모든 동물과 사람들을 자율주행 자동차가 감지하고 있다. 자율주행 자동차는 주행을 시작하는 순간, 자동차로 쳐서는 안 될 생명체를 감지하기 위해 센서를 작동시킨다.

---

previously on 〈로드킬 인 더 씨어터〉

건너뛰기

A는 B를 만나기 위해 비행기에 올라탑니다. A가 공항에 내렸을 때 현지 통역사가 고맙게도 A의 이름이 적힌 작은 피켓을 들고 마중 나와 있습니다. 통역사의 일정 때문에 A는 바로 B를 만나러 가지는 못합니다. A는 도심이자 관광지인 그곳에서 홀로 이틀을 기다려야만 합니다. 통역사가 A에게 미안했는지, 몇 개의 링크를 휴대폰에 보내 줍니다. 관광객들로 붐비지 않는, 그러면서도 적당히 상업적이고 적당하게 매력적인 스폿들이다. "혼자 둬서 미안하지만, 이틀만 머물고 있어. 아닌가? 사실은 오늘 처음 만난 사이니까 같이 있지 않는 편이 더 나을 수도 있겠구나. 그리고 네가 피곤할 수도, 혹은 오늘 밤 준비할 게 있을 수도 있겠네. 그래도 너에게 미안한 마음은 여전해. 그래서 내가 제안한 곳들을 갈지 안 갈지는 너에게 달려 있어. 그러니 가지 않아도 괜찮아. 절대로 미안해할 필요 없어. 오히려 내가 미안하지." A는 시차를 느낍니다. 근처에서 대충 저녁을 먹고 숙소에 돌아와 침대에 누워 있습니다. B를

만나서 할 이야기는 이미 통역사에게 메일로 보내 두었지만 그래도 다시 한 번 체크해 보며 혹시 그 질문이 무례하지는 않을지, 혹은 지나치지 않을지 다시 한 번 생각해 봅니다. 잠이 듭니다. 새벽녘 자신의 코 고는 소리에 깼다가, 다시 기분 좋게 잠이 듭니다. 긴 여정이었으니, 분명 힘이 들 겁니다. 날이 밝습니다. A는 조식을 먹기 위해 내려갑니다. 음식의 종류가 적어 다소 실망했지만 재료들이 꽤 신선해 보입니다. 혼자 산책을 합니다. 걸었습니다. 새소리가 들렸습니다. 빛을 봅니다. 날씨가 꽤 좋군요. 선선했고, 평화로웠어. 적당히 붐비지만 나쁘지 않았어. 지나친 관광명소 느낌 강요받는 느낌도 없었어. 호수다. 벤치에 앉아, 물결을 바라봅니다. 빛이 물결을 스치고 지나갑니다. 꽤 늦은 목가적 오후가 됩니다. 걷고 또 걷습니다. 무릎은 아프지 않습니다. A는 꽤 건강한 편입니다. 배가 고픕니다. 음식점이다. 손님은 없습니다. 나른하게 보이는 직원들이 신문을 뒤적이고 있을 뿐. A를 반기는 표정은 아닙니다. A는 밖에서 음식점의 풍경을 바라보며 말합니다. "이왕이면, 조금 좋은 음식을 먹자. 불친절한 직원들 혹은 과한 로컬 음식 향 때문에 기분이 나빠질 필요는 없으니까." A는 다시 한 번 굳이 모국어로 소리 내어 말해 봅니다. "굳이 엄청나게 맛있는 음식을 먹을 필요는 없겠지만. 그래도." 게다가 어제 숙소 근처에서 대충 고른 저녁 때문에 약간 불쾌감 있었거든. 뭐라 말하긴 애매하지만, 나쁜 음식 축에 속하는 그 음식 때문에. 하지만 오늘 조식은 꽤 훌륭했어. 특히 처음 보는 비릿한 생선 냄새가 좋았다. A. 길거리에 앉아서 담배를 물고 구글맵을 엽니다. 1,200미터 근방에 별점도 가격도 꽤 높은 레스토랑이 나타납니다. 가야 하나 말아야 하나. 그러다 통역사가 보내 준 링크들 생각이 납니다. 때마침, 통역사가 강력 추천하고 있는 음식점이 근처에 있네요. 그곳에 가기로 합니다. A. 자, 그렇다면, 음, 이제, 쉿! 여기서부터 A가 방문한 레스토랑의 이국적 분위기를 묘사하기 시작해야겠지요.

– 장면과 음악이 나온다.

죽은 동물을 만나기 위해 비행기를 타고 와,
한밤중 배에서 파도 소리를 바라보는 A와
그런 A를 바라보는 그 죽은 동물.

A   딸랑. 그렇게까지 작지는 않아서 영세하다는 느낌을 주지는 않으면서도, 완전하게 아늑한 느낌을 주는 식당. 특색이 없는 것 같았지만 최소한 여기서 먹으면 절대 기분을 잡치지는 않을 거라는 이상한 안도감. 그런 완전한 안도감을 주는 게 얼마나 어려운 일인지 너 알고 있니. 한 끼의 식사에서 완전한 만족감을 얻기 위해 사람들이 얼마나 많이 걷고, 택시를 타고 미리 알아보느라 시간을 꽤 쓰는지. 완전히 세련되지는 않았지만, 지나치게 상업화되지는 않은 깨끗한 도심 한복판에 있는 식당 말이야. 삼 분 거리에는 거의 어디든 갈 수 있는 기차역. 들떠 있거나 지쳐 있는 자들의 기운으로 늘 붐비지. 그러고 보니 너는 몇 시간이고 비행기를 타고 날아와 여기까지 와 버렸네. 티

켓 가격은 완전히 비쌌지만 말이야. 착륙. 드디어. 운 좋게 창가 쪽에 앉아, 비행기의 아주 작은 창문을 통해 보이는 낯선 국가의 풍경. 너무나 장난감처럼 보이는 건물들. 레고 인간처럼 보이는 작은 사람들. 와, 저 사람들은 이곳에서 매일의 행보를 살아내고 있군, 너는 이곳에 초대되어 온 이방인이라는 이상한 희열 느끼고. 난기류나 이유를 알 수 없는 분노한 새 떼의 공격, 기장의 심장마비, 기체 결함, 테러에 의해 죽지 않을 수 있었던 완전한 비행이었다는 안도감이 밀려올 때쯤 느끼는 삶에 대한 거대한 감각. 비록 아주 작은 창을 통해서이지만, 한 도시를 내려다보고 있다는 감각. 내가 이곳에서 만날 사람을 생각해. 그 사람의 비극 앞에서 느껴야만 할, 감정? 감각? 생각? 그런 걸 생각하니 심장이 뛰는 걸 어찌할 수가 없네. 이 식당.

출입구에서 가장 먼 4인석 자리.
그 좌석 중 하나에 앉아,
나에게 다가오고 있는 음식의 냄새.
개방된 주방에서 음식을 만들기 시작한다. 가스 불 타다닥 트는 소리, 재료 새로 썰 필요 없고. 이미 썰어놓은 재료 볶는 소리. 그리고 아, 그리고 연한 질감의 그것을 조심스레 익히는 소리. 접시에 담기고 그것이 나에게 오고 있다. 냄새를 실체라고 할 수 있나, 허튼 짧은 생각을 스쳐 드디어 그것이 내 눈앞에 도래

했고, 나는 그것을 칼로 썰고 입안에 넣고 씹고. 지나
치게 이국적인 맛이라면 그 맛(말)의 실체를 알아내
느라 미간을 찌푸리고 그러느라 시간을 꽤 많이 써야
했을 텐데. 혀에서 지나치게 독특한 미감을 느끼는
순간, 아? 어- 아- 를 반복하느라 온전히 나에게 주어
진 음식에 집중하지 못 할 테니까. 그러나 만약 내가
완전하게 매혹되었다면, 그러니까 믿을 수 없을 정도
의 완전한 그것이었다면 어떻게 해야 하나. 매혹되기
로 결정한 순간, 그에 따른 책임을 감수하겠다는 거
잖아. 하지만 흥분한 개마냥 헥헥거리지 않을 정도로
적당하게 침이 돌기 시작하고, 적절한 양의 아드레날
린이 돌기 시작한다. 처음부터 너를 그렇게까지는 매
혹시키지는 못했어도, 아니, 어쩌면 내가 부러 그런
것을 찾아오지 않은 것일 수도 있겠지만, 그래도 이
내 곧 매혹될 거라는 기대 있지 않아? 대충 '이것'이
뭔지는 알고 왔을 테니까. 그리고 내가 지금 '이것'에
서 너에게 지금 하고 있는 '이 말', 그렇게까지 나쁘
지는 않잖아. 너를 매혹시킬 미문 없어도, 그리고 조
금 생경하게 느껴져도 꽤 괜찮지? 그렇지. 너는 거기
서 주문을 해. 사실 네가 정말로 원했던 음식은 아니
야. '이곳'에 메뉴는 몇 종류가 없거든. 메뉴가 많지
않다는 건, 또 꽤 그럴듯한 안도감 주지. 이런 건 쉽지
않은 안도감. 아, 그런데 '이곳'에서 정말로 원했던
것이 있었나. 너에게 어떤 걸 이해시켜야 하는 걸까?

이곳에서는 격렬한 투쟁도 압도할 아름다움도 없을 텐데 말이야. 아~ 이 음식, 약간 질긴 느낌이 들지만 이 정도는 상관없지? 아, 이건 메인 디시의 풍미를 더하기 위한 소- 스- 군. 아주 잘게 씹히는 이건 뭐지, 아주 작게 오도독 씹히는 이 씨앗 같은. 꼭 이빨 체크해 봐야겠군. 미세하게 느껴지는 이 씨앗들. 적당하게 완전한 이 음식에 비해, 이 씨앗은 지나치게 작군.

딸랑. 등 뒤로, 들리는 안녕히 가세요. 또 오세요. 굳이 돌아보며 화답할 필요까지는 없는 인사들이라는 게 있으니 등을 돌린 채 팔을 위쪽으로 쭉 뻗어 올려 팔을 흔들어. 문이 열리고 와, 그 짧은 사이에 밤이 펼쳐져 있네. 차가 다니고 불빛이 화려하다. 와, 저 안에서는 무슨 일이 벌어지고 있는 걸까. 저 안에서는 누가 무엇을 하고 있을까. 저기, 여기까지는 꽤 나쁘지 않지?

- 파도 소리 들린다.

A. 식사를 마치고 나서는, 통역사 C가 알려 준 쇼핑몰로 걸어갑니다. A는 그 쇼핑몰에서 꽤 이국적이고 귀여운 소품들에 한참을 팔려 있습니다.

통역사   "A. 너한테 사과하고 싶어서 이렇게 연락을 한다. 너는 그 죽지 않은 그 동물을 인터뷰하러 왔는데, 나는 고작 쇼핑할 곳들이나 맛있는 레스토랑을 알려 주다니. 내가 생각이 짧았어. 사과할게."

A

휴대폰을 확인하니 통역사로부터, 이런, 아니 그런 혹은 저런 메시지가 도착해 있었습니다. A는 상점에서 나왔습니다. "방해받고 싶지 않아." 손에는 지인들에게 줄 몇 가지 선물들이 쇼핑백에 들려 있네요. 쇼핑백을 들고 밤거리를 걷는다. 안전하게 낯선 타국의 거리. 알아들을 수 없는 언어가 주는 편안함. 귀에 이어폰을 꽂습니다. 음악이 흘러나옵니다. 타국의 아티스트가 만들고 불러 가사를 이해하지 못해 더 좋은 '파도 소리'라는 음악을 듣습니다.

내가 너에게 그 동물이 어부라고 말했나. 그래서 그 동물을 만나기 위해서는 도심에서 벗어나서 두 시간 정도 배를 타고 들어가, 다시 거기서 한 시간 정도를 달려야 만날 수 있는 곳에 있는 동물이라고 너에게 말했나. 하지만, 그 동물이 어부인 것과는 상관없이, 그 동물 B가, 한밤중에 차에 치여 죽었다고 말했나. 그 주에, B의 친구들 5마리가 길에서 죽었다고 말했던가. 미안해. 지금 타국에서의 시간을 꽤 감각적으로 묘사해 놓은 이것들을 한 페이지씩 넘기고 있는데, 곧 닥칠 지독한 페이지를 이야기해 버려서. 하지만 오늘은 과연 이곳에서 B의 죽음이 어떻게 반복될

지 궁금하기도 하기 때문에 발생하는 두근거림이라는 거. 그런 거 있으니 괜찮지? 단지 누군가의 타국에서의 추억을 엿보려고 이곳에 온 게 아닌 '너'도 있을 수 있을 테니까. 두 시간을 배를 타고, 다시 한 시간 반을 달려온 이곳.

B 당신의 이번 여행은 나를 만나러 온 것이었고, 도시에서 바로 이곳으로 올 수도 있었지만 당신은 도시에서 이틀에 걸쳐 관광을 하고 나서야 이곳에 들어왔죠. 나와 마주쳤을 때, 그때 당신, 당신이 그리 고생해서 도착한 그곳의 풍경을 바라보던 당신 눈빛. 굉장히 좋은 것을 볼 때의 눈. 그래서 통역사 그리고 나와 당신은 해가 저물어 가는 그때, 내 배에 올라탄 거예요. 나와 이야기한다는 명목이 있었지만, 밤바다에 작은 배를 띄워 끝없는 어둠과 깊이를 가늠할 수 없는 바다의 바닥을 들여다볼 요량으로 이곳 현지 동물인 나에게 그래도 몇 푼의 돈을 쥐여 주고 누릴 수 있는 시간인 것처럼 느껴지기도 하겠네요. 네. 당신이 이미 보내 준 이메일은 읽었어요. 사려 깊은 그 메일. 통역사가 당신의 모국어 질문을 번역해 준 그 메일.

그때 마음이 어떠했냐고요. 조금만 더 자세히 이야기해 줄 수 있냐고요. 당신의 질문에 대한 내 대답에 당신의 상상력을 덧붙여 내가 실제 감각하지 않았지만 훨씬 더 그럴듯한 그 섬세한 디테일이라는 거가 추가

되겠죠. 왜 내가 한 말에 그런 거가 붙는 걸까요. 내가
하는 말로는 부족했나요. 나는 문학적으로 말하지 않
았어요. 나는 꽤 구체적으로 말해요. 때로는 당신이
생각하기에, 전형적으로 느껴질 법한 그런 말들도 했
죠. 그것은 내가 아닌 누군가의 말로 기계의 아름다
운 빛과 소리 속에서 우리 여섯 '마리'가 아닌, 사람
들(당신들)에게 배달되겠죠. 당신은 여기에 당신의
미감을 작동시켜 미학이라는 거 덧씌우겠죠. 그리고
때로는 우리가 아닌 사람들의 숨통을 풀어 주는 유우
머도 적재적소에 사용하겠죠. 작년에 나를 찾아온 또
다른 K씨는 그 모든 것들을 걷어내고 오로지 나의 말
만을 그들(당신들)에게 배달한다고 하더군요. 그런
것이 가능할까요, 라고 나는 K씨에게 물었어요. 이번
에도 당신들은 나를 이곳에 초대할지도 모르겠네요.
내가 그곳에 갈 수 있을까요. 가야 할까요.

추상적으로 말하고 싶어요.
한없이 추상적으로 말하고 싶어요.
설령 아무도 이해하지 못한다 할지라도.

충분히 숙고했을 테지만, 더 이상은 숙고할 수 없었
던 질문들. 질문 자체에 긴장이 느껴지기는 하지만,
실은 나로부터 얻어내고자 하는 사람이 직조해낸 질
문. 다른 이유로 죽은 동물에게 건네어져도 상관없

을, 패턴이 엿보이는 목록화된 질문들. 엄밀히 말하자면, 여기에 온 목적이 전적으로 나를 위로? 애도? 하러 온 것은 아니었으니까, 추측건대. 이해해요. 이쯤 되면 빛과 소리라는 거 나와야겠죠.

– 등대와도 같은 빛, 파도와도 같은 소리 나온다.

그렇죠. 이런 식이죠. 바로 이런 겁니다. A. 우리가 이야기를 마치고 내가 당신을 뭍에 내려다 주고 내가 다시 그 배를 타고 집으로 돌아가던 그 밤. 그 어둠. 더 멀리멀리 당신으로부터 떨어져 점점 깊어질수록 더 투명해져만 가는 바다를 보고 있었죠. A, 당신은 내 고통에 대한 이야기를 듣는 것 같았지만, 실은 그 바다, 저 너머의 집들 그리고 더 멀리의 섬들 보고 있었죠. 어차피 나에게 할 질문은 준비되어 있었고 통역사가 있었고, 그리고 우리의 그 모든 말들이 녹음도 되고 있었으니 그리고 어두웠기 때문에 당신이 내 눈을 보지 않아도, 내가 모를 거라고 생각했겠죠. 그때 녹음된 그, 이 파도 소리. 간혹 세차게 물결치던 그 소리. 당신의 '것'에 사용하겠지요. 빛과 함께. 그리고 나는, 당신의 이야기에 등장하지 못한 채. 까만 바다와 까만 하늘 아래, 물결 소리만 들리고 있었고, 첨벙첨벙, 모터 돌아가는 소리와 함께 당신으로부터 점점 멀어져 갔습니다. 배 위의 작은 불빛이 깜박거리다가 이내 사라지고 있네요. 밤하늘을 나는 새들. 당신이 배 위에서 본 것은 끝없는 어둠과 바닥을 알 수 없을 정도의 투명한 바닷속으로부터 나오는 빛이었어요. 당신은 그것에 압도되었나요. 그리고 당신은 지금 나를 보고 있다고 생각하겠죠. 내가 탄 배가 당신들이 있는 곳으로부터 초속 10센티미터로 멀어지고 있어도, 나는 알아요.

– 사이.

당신은 정확히 무엇을 보고 있나요.

A	괜찮아. 기분 좋게 피곤해.
통역사	다행이네. 내일이면 돌아가겠네. 고국으로. 아, 오늘 밤은 저기서 묵어야 해. 돌아가는 차는 이미 끊겼거든. 보여? 저기 저 불빛.
A	아, 저기. 저기 맞지?
통역사	응. 여기에 좋은 숙소는 없어서, 어쩔 수 없이 저기를 잡았어.
A	응. 괜찮아.
통역사	뷰가 아주 끝내주는 곳이야, 맘에 들 거야. 분명히.
A	고맙네.
통역사	괜찮아. 얼른 들어가서 뷰 보면서 술이나 한잔해.
A	좋다.

- 딸랑, 문 열리는 소리

통역사 무슨 생각 해.

A 아까 어부가 길게 말을 했는데, 사실 그게 무슨 말인지 듣지 못했어. 파도 소리 때문에 잘 듣지 못했어. 게다가 다음 질문이 있었으니까 다시 묻지 않았고. 나중에 물어봐야겠다고 생각했어. 그리고 그때 들리던 파도 소리, 아름답다는 생각 하고 있어.

- 사이.

B 자, 이제 차를 출발시킬게.

비 오는 밤, 동네 바(bar)에 앉아 비둘기 경주를 지켜보는 자들.

- 비 오는 밤, 바에서 맥주를 마시며 두 사람이 텔레비전으로 비둘기 경주 혹은 올림픽 성화 봉송을 보고 있다. 딸랑- 하며 누군가가 들어온다. 딸려 들어오는 소리. 빗소리. 추운 밤. 비바람이 치는.

사람1 오늘 같은 날은, 맥주 마시면서 저런 거 보는 법이죠.
사람2 아, 정말 압도적이네요.
사람1 아니오. 저런 걸 장관이라고 하죠.
사람2 아니오. 장대하다고들 합니다.

사람1　아니오. 그렇지 않고요. 눈으로도 보고 믿기지 않는다고.

사람2　언빌리버블.

사람1　아니오. 인크레더블.

사람2　아니오. 인컨시버블.

사람1　아니오. 언이매지너블.

사람2　아뇨! 언띵커블!

　　　　　　– 사이.

사람1　이번에도 잘되겠죠?

사람2　당연하죠! 아, 저 선수.

사람1　누구요?

사람2　저기, 저, 아. 좀, 헤매고 있는 거 같은데.

사람1　괜찮을 거예요. 가장 뛰어난 선수거든요.

사람2　자, 이제 돌아오기만을 기다리며 맥주나 마십시다.

　　　　　　– 사이.

사람2　좀 지쳐 보이는데요.

사람1　괜찮을 거예요.

　　　　　　– 긴 사이. 숨죽이고 경주 혹은 올림픽 성화 봉송을 지켜보고 있다. 간혹, 으! 아!

사람1	거의 다 온 것 같아요.
사람2	아, 조금만 더 흥미로웠으면 좋겠는데.
사람1	천둥이 치고, 비가 내리면 딱이겠어요. 그걸 뚫고 돌아온다면 더 흥미로울 텐데요.
사람2	아니오. 더! 기다려 보죠.

– 사이.

사람0	그걸 기다리는 동안, 다른 걸 좀 봐도 될까요?

– 채널이 돌아간다. 리모컨을 누른다.

**마카스 원숭이들과, 그 중 가장 똑똑하다 여겨진
클레파에 대하여.**

사람0	이렇게 생각해 왔어요. 쟤는 뭔가가 다르다. 우리와 다르다. 나와는 다르다. 나와 다른 삶을 살아가겠구나. 저 친구가 도달할 수 있는 세계는 무한정으로 펼쳐져 있다. 내가 상상하지도 못할 세계에, 발을 내딛을 수 있는 친구. 나는, 이 우주 안의 이 지구, 이 지구 안의 이 국가, 이 국가 안의 이 도시, 이 도시 안의 이 집, 이 집 안의 이 방, 이 방 안의 이 침대에 웅크리고 누워 그 친구가 활주하고 다닐 그 세계를 이 어둠 속

에서 몇 번이고 훔쳐 돌려 보겠지. 내 손에 쥐어진 이 리모컨과 함께. 하지만 이곳에서 나는 무엇이든 만들어낼 수 있어. 물감과 종이만 있다면, 건반만 있다면, 종이와 펜만 있다면 노래 부를 수 있어. 직접 가지 않아도, 만져 보지 않고도, 충분히 그려낼 수 있어. 그리고 언제든, 꺼 버릴 수도 있어. 더 이상 보지 않길 원한다면. 리모컨은 언제까지고 내 이 손에 있으니.

사람1 시간이 흐르면, 변하게 될 거라고 생각하나요. 그러니까, 내가 따라잡을 수 있을 거라던가. 왜 그래요. 그 사람과 나 사이의 격차는 그대로 유지한 채, 시간만 앞으로만 흘러만 가는 거예요. 만약 내가 운 좋게 앞으로 갈 수 있다면, 그 사람의 시간도 앞으로 갈 거라는 말이에요. 그리고 그 사람이 어느 날 점프, 해 버려서 그 사람과 당신 사이의 격차는 더 벌어질 테죠. 누군가는 어느 순간, 삶에서 삶의 도약이라는 거 하니까요. 당신 빼고요.

사람0 내 부모는 자꾸 걔네 이야기를 저한테 했어요. 시간이 흐를수록 이런 생각이 들었어요. '내 부모는 나를 자극시켜 내 삶을 일으키려 한다던가, 그런 애새끼를 갖고 싶은 부모성 때문에 걔네 이야기를 자꾸 하는 게 아닌 것 같다. 걔네를 진짜 질투하고 있는 건 내 부모일지도 모른다. 억울하겠지. 그렇게 흘려보낸 시간들이 억울하겠지. 이렇게 또 흘려보내고 있는 시간들에 억울하겠지. 저렇게 다가오고 있는 무의미한 시간들이 억울하겠지.' 걔네는 수업시간에 흐트러짐 없이 앉아 있었고, 필기도, 칠판에 서서 푸는 문제도, 쪽지 시험도 수행평가도 다 잘했어요. 단 한 번도 지각한 적이 없었어요. 아니요, 항상 등교 시간보다 최소 30분 전에 도착해 있었죠. 저도 처음에는 "순응을 잘하는 친구들이군. 비판적 사고라는 건 할 줄 모르는 친구들이야." 급식실 뒷벽에 기대 나와 비슷한 애들 모아 놓고 담배 꼬나물고 냉소적으로 웅얼거리기. 잘 아시죠? 그런 거. 그리고 그건 그냥 저런 질투심에 불과하다는 거. 네. 질투라는 거 늘 존재하죠. 대놓고 질투하느냐 나나 내 부모처럼 그게 질투인지도 모르고 질투하느냐, 단지 그 차이예요. 걔네는 교육을 잘 받는 애들이었죠. 그런 애들만이 다른 세상을 꿈꿔 볼 수 있는 훈련도 받을 수 있는 거예요. 허무와 냉소 그리고 간혹 느낄 수 있는, 정체 모를 경미한 슬픔 같은 평범한 걸로는 안 돼요. 의자에 오래 앉아 있을 수 있도록, 컴퓨터 기기를 조작할 수 있도록, 레버를 제때에 정확한 각도로 당길 수 있도록 하는 훈련까지 받았다네요. 마카스 개새끼 놈들. 그 중 유독 뛰어난 원숭이 한 마리. 그 애의 이름은 클레파. 컴퓨터 프로그래밍도, 숙제도 다른 애들에 비해 유독 잘했죠. 마카스 무리 놈들은 알고 있었어요. 클레파가 뽑힐 거라는 거. 하지만 클레파, 너의 성공은 먼저 그곳으로 떠났던 잡종 개 라이카 덕분이었다는 걸 잊지 마. 클레파는 큰 기대 속에서 그곳으로 떠났습니다. 모두, 눈물 흘리며 배웅했고 클레파에게 펼쳐질 드넓은, 우주와도 같은 세계를 응원했어요. 와. Holy shit. 우주와 같은 세계요? 와, 우주와도 같은 세계라니. 저기, 이 봐요들.

사람2 그래요. 가끔은, 인생의 어떤 결정에 따른 책임을, 오로지 본인이 져야 하는 때가 오기도 하잖아요.

저보다 저를 더 사랑해 주시던 분이었죠.

만약 제가 지혜롭다면, 만약 제가 이타적이라면,

만약 제가 근면하다면,

만약 그렇다면.

그것들은 모두 아버지로부터 온 것입니다.

아버지의 유일한 취미는 어머니와 함께

극장을 찾는 것이었습니다.

오페라, 영화, 연극, 뮤지컬, 발레, 콘서트, 피아노 솔로. 어떤 것도

가리지 않았죠.

하지만 내 부모, 아버지와 어머니는

단 한 번도 집에 와서

본인들이 그곳에서 보고 들은 것에 대한 이야기를

하지 않았습니다.

제가 헛된 꿈을 꿀까 염려해서였을까요.

어느 날 밤, 두 사람이 어둠 속 거실 소파에 앉아

있는 것을 보았습니다. 말없이, 그저 같은 곳을 보고 있었어요.

아버지의 장례식에서

그때 저는 이런 상상 하고 말았습니다.

뭐라 말하기 애매한 조악한 포스터만이 관람의 기준.
자세히 읽지 않으면 티가 나지 않는 비문이 시놉시스랍시고
나와 있는 글자들.

그렇게 흘려보낸 시간들이 억울하죠.
이렇게 흘러가는 시간들.
저렇게까지는 아닐 시간들.

완전히 좋은 것은 결코 보러 가지 않는다.
그것을 보고 온 이후로
육 개월 동안 소리를 지르며 싸우더군요.
어느 날 아침.
부엌 식탁 위에 오페라 티켓 두 장을 올려 두었어요.
잘 못하는 자들이 나오는 것으로 정평이 나 있는 오페라.
그날 밤. 그들은 서로 팔베개를 해 주겠다고 로맨틱하게
티격태격하다가
잠들었습니다.

모스크바 길거리를 헤매던 잡종 개 라이카의 성공 스토리

아, 라이카요? 혀를 집어넣는 걸 종종 잊었던. 꾀죄죄한 몰골로 추운 거리를 헤맨. 많이 가난한 사람들에게도 거침없이 음식을 구걸했던. 더러운 음식을 허겁지겁 삼켰던 이틀에 한 번 꼴의 식사. 추위. 엉킨 더러운 갈색 털, 눈곱 아래 감추지 않았던 영민한 눈빛과 비애의 눈. 아이들이 만지려 하면 기꺼이 몸을 내주던. 거리를 쏘다니며 몇 년이고 추위와 배고픔을 견딘 덕. 이미 그런 것들에 익숙할 테니, 따뜻한 곳에서 머무는 순종의 다른 개들보다 스트레스를 잘 견딜, 잡종이었던 덕. 잡종 태생과 추운 환경이 만들어낸, 인간이 가장 사랑하는 동물 1위. 요즘은 고양이한테 홀려 있게 된 지 꽤 되었지만 그래도 여전히 굳건한 스테디 랭킹. 바이블. 개. 과학자들의 눈에 띄어 새로운 이름을 얻은 개. 못지않게 똑똑했던 무슈카라는 개종들과의 훈련 후, 두 마리만 남은 최종 후보에서 결국은 홀로 선발된 개 4, 3, 2, 1 라이카. 무중력 상태가 미칠 영향을 테스트하기 위해 20일 동안 몸이 묶인 채, 아주 좁은 공간 안에서 가속도 적응 훈련을 한 개. 인내력, 지구력, 지능, 체력도 뛰어났는데, 덕망까지 있었던 개. 잡종 개. 돌아오지 못할 것을 알면서도 우주로 우주로, 우주로 가 버린 개. 지구에서도 우주에서도 떠도는 삶을 살았던 개. 쿠드랴프카. 라이카는 그저 그 개가 속한 종의 이름이었을 뿐. 실제 그 잡종 개의 이름은 쿠드랴프카. 우주로 나간 뒤 지구를 네 번이나 돌면서 고온, 고음, 고진동을 견디지 못해 일곱 시간 만에 죽었던 개. 조금만 견딜 수 있었다면 일주일 후, 자동 독약 주사가 투여돼 죽었을 개. 어차피 일주일치 식량도 함께 실려 있었을 테니까. 아니오. 애초에, 지구로 돌아오지 못했을 개. 대기권으로의 다시 진입 애초 불가능했으니까. 1999년에 관련 문서 공개되면서 사람들은, 그 개 라이카 애초에 돌아오지 못할 여정을 떠났다는 걸 알고 분노했지만, 그 개 라이카는 자신이 지구로 돌아오지 못한다는 사실 알면서도 그곳으로 떠났다는 건 사람들이 영원히 알지 못할지도 모른다는 것을 알고 있었지. 작은 공간에 갇혀 몸이 묶인 채 가속도 훈련을 받으며 지구 네 바퀴 돌면서도 침착했던 개. 그러니 여러분, 나의 죽음에 분노할 필요 없어. 지금은 발사되기 10초 전이야. "10, 9, 8, 7, 6, 5, 4." 3, 2, 1. 나는 알고 있어. 내가 영영 돌아오지 못한다는 거. 무슈카라는 개종들과의 훈련에서 아등바등 최선을 다한 이유는 그것이었어. 내가 승부욕에 사로 잡혀서 그런다고 생각할 수도 있었겠지. 아니. 영영 돌아오지 못한다는 사실. 알고 있었어. 어차피 지구로 돌아와도 사람들이 남긴 음식 구걸하며 사느니, 차라리 우주로 가자. 또다시 춥고 더러운 거리로 나갈 수는 없어. 물론 그 거리에는 나를 심히 귀여워해 주던 땟국물에 절은 아이들 있었지. 그리고 꽤 좋은 음식 챙겨 주며 인자한 미소 짓던 아주머니. 그 미소. 잊을 수 없겠지, 그토록 따뜻한 거. 하지만 그런 것보다는 나은 삶일 거야. 설령 돌아오지 못한다 해도. 이제 돌아갈 수가 없어. 멈출 수가 없어. 돌아갈 곳이 없으니까. 과학자들이 하는 이야기 듣고 있었어. 돌아올 때 대기권 진입이 애초에 불가능하다는 거. 아직은 그런 기술 없다는 거. 내가 머리가 나빠서 내 면전에서 내가 돌아오지 못한다고 말해도 된다 생각한 건 아니었을 거야. 감수하면, 내가, 죽음을. 다음에 우주선에 탑승할 동물들이 다시 지구로 돌아올 수 있는 가능성 커지는 거니까. 과학자들은 울고 있었어. 내가 눈을 감고 있으니 자는 줄 알았겠지. 혹은 내 눈이 너무 귀여워서 순간 그래도 된다고 착각했거나. 귀엽다고 생각하는 대상 앞에서 허용되는 실수들 있다고 생각하는 법. "귀여우니까 네가 좀 봐 줘야지, 귀여우면 좀 관대해져야 해. 모른 척 좀 해 줘야지, 넌 귀여우니까."

5, 4, 3, 2, 1

— 라이카를 주인공으로 한 가공된 멜로디 흘러나온다.

돌아올 수 없다면, 어떻게 해야 할까.

지금이라도 여기서 멈추는 게 낫지 않을까.

아니, 가는 수밖에 없어.

다시는 돌아올 수 없다는 걸 알고 가지 않겠다고 내가 말했을 때 그들이 느낄 상실감을 생각해 봐. 혀를 내밀고 더러운 솜뭉텅이 몸으로 배회하던 그 거리로 돌아가겠다고 하는 거, 그거.

내가 돌아간다고 나를 반겨 줄 이가 있을까.

뼈를 던져 주던 아주머니는 죽었을 거고, 나를 만져 대던 아이들은 도시로 떠났겠지.

돌아올(갈) 수 없다면, 어떻게 해야 할까.

지금이라도 여기서 멈추는 게 낫지 않을까.

아니, 가는 수밖에 없어.

- 채널을 돌린다. 그날의 비둘기 경주는 끝났고, 오 년 만에 돌아온 비둘기의 인터뷰만 남았다. 숨을 채 정리하지 못한 비둘기가 말한다.

비둘기   돌아오는 길. 오늘처럼 비바람이 불었고요. 한 마리, 한 마리, 그리고 또다시 한 마리가. 자신의 집으로 날아들기 위해 모두 속도를 냈습니다. 우리는 한 번도 가 보지 못한 곳으로 가기 위해 훈련을 받는 게 아니거든요. 그곳에서 다시 돌아오기 위해 훈련받는 거죠. 훈련받고, 발목에 등록표 달고 작은 바구니에 실려 멀리멀리 한 번도 가 보지 못한 곳으로 도착했고요, 다른 비둘기들과 함께 컨테이너 박스 어둠 속에 갇혀 숨죽이고 기다렸습니다. 빛이 쏟아들어져 올 그 순간. 탕! 몇천 마리의 때로는 몇만 마리의 비둘기들이 컨테이너에서 일제히 쏟아지던 모습, 여러분들이 좋아해 주신다는 것만으로 정말 큰 힘이 되는 거죠. 해협 위에서 펼쳐질 그… 그걸 뭐라고 하죠? 모두를 압도시킬 그… 그거. 하늘로 날아오르고, 날고 날아. 아, 힘껏 날아올랐을 때 느끼는 느낌. 한 번도 와 보지 못한 곳에 내가 와 있다. 어디로 가는지도 모른 채 바구니에 실려 이곳까지 왔지만, 아주 잠깐 동안이었을 뿐이었어. 그리고 컨테이너 박스 어둠 속 다른 비둘기들과 함께 있느라 숨쉬기 힘들었지만, 아주 잠깐 동안. 와. 인간이 가장 열망하는 것 중 1위가 뭔지 아세요? (하늘을 나는 거라고 들었어요.) 네. 우린 그걸 할 수 있는 존재들이에요. 네. 물론 잠시 멈추고 싶은 순간도 있죠. 내가 살던 곳으로 돌아가지 못한다면 어떻게 하나. 하지만 책상에 앉아 며칠이고 생각하고 생각한다고 해서 답이 나오는 건 아니잖아요. 결국 날고 날아 자신이 살던 그 집으로 돌아오는 거죠. 해협을 건너 하늘을 걸어 날아. 하, 네. 어떤 비둘기 주인은 일등이 너무 하고 싶어서, 비둘기를 고속열차에 실어서 몰래 이동시키다, 걸리고 말았다고 하더라고요. 제 주인은 그럴 필요 없죠. 전 몇 번이고 우승한 특출적으로 독보한 비둘기이니까요. 날고 날아, 돌아오는 길. 네. 네. 힘들죠. 게다가 오늘처럼 비바람이 분다면요. 한 마리, 한 마리, 그리고 또다시 한 마리가. 자신의 집으로 날아들 거라는 그 기대와 응원 잘 알고 있으니까요. 작은 박스에 갇혀서, 컨테이너에 갇혀서, 한 번도 가 보지 못한 세계를 맞닥뜨렸을 때, 거기서부터가 시작점이 된다는 걸 알면서도 다시 돌아가려 하지 않고, 집으로 돌아가려 날갯짓했던 비둘기들, 네. 감사합니다. 그 얇디얇은 다리에 편지를 달고 이쪽에서 저쪽으로 날아가기도 했었죠, 옛날에는.

마당. 집. 달린다. 목걸이. 고개를 처박고 밥 먹던 바둑이

야, 너, 화이트 테일? 야, 너? 바둑이? 야, 너 이름이 그게 뭐냐.

나를 바라보던 바둑이 눈에서 물 흐르고 그 눈, 물을 보고 안도감 느낄 때 기분. 늘 일등으로 돌아오던 그 새. 작은 뇌 작은 눈 가졌지만 알 수 있을 거예요. 유독 그 새, 화이트 테일. 13번이나 비둘기 경주에서 우승했던 그 새의 눈 보면 알 수 있을 거예요. 성적이

좋거나 성실하거나 그런 것과는 상관없는, 혹은 십대 때의 짜증이나 반항과도 상관없는 눈. 다른 비둘기들, 그 비둘기를 보며 이런 생각 하죠. '아, 쟤는 결국 나와 다른 삶을 살겠구나. 유니크한 삶을 살겠구나. 자기 자신만의 삶을 살겠구나(그게 저예요).'

탕. 알고리즘에 의한 광고 팝업

자신만의 비행.
특별한 눈빛을 가진 자만이 경험할 수 있는 독창적인 경험.
일등을 열망하는 못난 주인 때문에
쪽팔리게 고속열차 안 박스에 실리지 않아도 되는.
경매를 통해 몇십억에 낙찰이 되어도,
부? 명예? 관심 없다는 듯
다시 탕- 소리와 함께 하늘을 날,
몇 번이고 작은 박스에 실리고 컨테이너에 갇힐 것을 감수하는,
독창적인 삶!

이런. 네. 오 년 만입니다. 아무도 제가 오 년 동안 돌아오지 못할 거라고 생각하지 않았겠죠. 제가 그 화이트 테일이에요. 결국은 돌아온다는 것. 자신이 있던 곳으로. 수많은 방해물을 겪고 그리고 당신은 상상조차 못할 오 년의 시간을 간직한 채, 다시 돌아온

다는 것 그것은 우리에게 안도감을 줍니다. 그리고 그 안도감이 가능했던 것은 해협 위에서 힘차게 날아 오르던 6만 마리 비둘기의 비행이 있었기 때문이죠. 돌아올 수 없다면, 어떻게 해야 할까.

지금이라도 여기서 멈추는 게 낫지 않을까.
아니(야), 가는 수밖에 없어.
이런 생각을 하며 날고 또 날았어요.

라이카   그 상실감 생각해 봐. 나도 잡종(개)인지라 조금은 무서웠어. 돌아오지 못하는 건 괜찮아. 엄밀히 말하면, 나에게는 돌아올 곳은 애초에 존재하지 않았으니까. 그래도 나도 잡종 개인지라, 조금은 무서웠어. 그곳(이곳)이 어떤 곳인지는 아무도 모르잖아. 아무도 모르니까, 나를 보내려 하는 거고. 나 말고 한 마리가 더 실렸으면 어땠을까. 하지만 고통을 나누기 위해 또 다른 종을 태울 필요는 없다는 것도 알고 있었어. 그런 건 이기적인 거야. 모두가 잠든 밤. 나 라이카, 추적추적 내리는 비를 맞으며 거리를 걷고 있었어. 모퉁이에 몸을 비스듬히 기대고 힐끗 나를 바라보고 있는 존재와 눈이 마주쳤을 때, 그때, 나는 그 자리에 멈추는 수밖에 방법이 없었어. 그런 종류의 어둠이 우주에는 팽팽하게 가득 차 있다 들었을 뿐이야. 그 밤 그 길거리에는 나 혼자였고, 나는 그런 어둠에 익숙한 개야. 그곳에 홀로 가도, 괜찮아. 그런데 말이야, 나도 잡종 개인지라 조금은 무서웠어. 다른 개들과의 경쟁에서 일부러 못해 볼까도 생각했어. 하지만 그럴 수 없었어. 개네는 좀 무서워하는 거 같았어. 아니 고통스러워하는 거 같았어. 고통스러워? 저런 개들이 우주에서 견딜 수 있을까, 상상하는 거? 우주에서 직면하게 될 지독하게 추상적인 어둠도 그러할 테지만, 발사될 때의 속도, 소리 견딜 수 있을까. 우주선이 발사되자마자, 내 심장 박동수는 세 배 증가. 아, 나랑 최종 선발까지 갔던 그 개라면 이걸 견디지 못했을 거야. 그 개라면 심장 박동수가 다섯 배, 여섯 배 증가했겠지. 그러니 그래, 내가 오는 게 나았어. 나중에, 초등학생들이 미지의 세계에 대한 인류의 원대한 꿈에 대해 시험 공부하게 될 때, 내 심장 박동수에 대해 듣게 될 테지, 동물의 희생에 마음 아파하면서도 나의 희생이 과학의 발전에 밑거름이 되었다는 것에 깊이 감명받는 소수의 아이들은, 심장 터질 듯 두근거림 과학자 길 걷게 될 거야. 혹은 순간 눈물 쏟아도, 금세 잊을 거야. 다시, 길거리로 돌아와도 또다시 거리 헤매고 싶지 않아. 말했지. 난 돌아올 곳이 없다고. 지구를 네 바퀴 돌며 우주 공간에서 발생할 지구 생명체의 맥박, 호흡, 체온, 생리적 반응 등 여러 데이터를 나 잡종 개 라이카가 제공한다. 나, 개는 일 년 후 다시 지구로 돌아올 때, 우주선과 함께 타 버릴 거 알고 있었지. 우주선과 함께 타 버리면서, 재가 되어, 지구를 바라보며 회환의 웃음을 웃었던 덕망 높은, 높았던 개. 유독 침착했고 인간을 잘 따랐던 개. 이거 좀 쑥스러운 (영업) 비밀인데, 가끔 혀 집어넣는 거 까먼은 거처럼 굴 때가 있었는데, 사실 그럴수록 아이들이 귀여워해 줘서 그런 거였어. 인간과 가장 가까운 동물. 개. 희생을 기꺼이 감수했던 개. 고온, 고음, 고진동 속에서 우주 속 평화를 느끼며 인간에게 전할 데이터를 생각했던 개. 왜냐하면, 인생의 어떤 큰 결정에 따른 책임은 본인이 져야 하는 때가 오기도 하잖아요. 그 개는 흥얼거려. 몇천 년 후에, 자신을 주인공으로 만들어질 수많은 노래들 중 하나의 멜로디 흥얼거려.

- 라디오에서 흘러나오는 음악.

(안녕하세요. 라이카 역을 맡은 잡종 개 라이카입니다.)* 우주로 홀로 떠났던 그 개를 주인공으로 만들어진 노래, 책, 그리고 그 외에 다른 그런 것들이 총 몇 개인지 아시나요. 나중에 이걸 그 어떤 것이 다룰지도 모르겠다고 하니 한번 미리 조사해 봤는데 이

---

* 이 말은 공연 연습 중, 라이카 역을 맡은 성수연 배우가 즉흥으로 한 것으로, 공연에서도 발화되었다..

미 4,000건이 넘어요. 라이카는 몇 년 후 만들어질 영화 등에서 자신을 연기할 귀여운 화면 속의 개를 흉내 냅니다. 에구머니. 나 라이카를 저렇게까지 귀엽게 묘사할 필요가 있나. 굿보이? 그래, 거리에서 추위와 배고픔에 떨면서 잡종으로 불리는 것보다, 선택된 자들만 간다는 그곳, 우주를 유영하는 게 축복이지. 괜찮아. 나를 너무 슬프게 노래하지만 마. 두 개와 눈이 마주칩니다. 벨카와 스트렐카. 몇 년 후 다른 동물들도 계속해서 멈추지 않고, 우주로 쏘아 올려 보내졌어요. 개 오십 여 마리 중 유일하게 이름이 기억되는 두 마리. 벨카와 스트렐카는 아직 우주에 도착하고 있는 중이지만, 그들과 눈이 마주쳐요. 그리고 그곳에서 조용히 울릴 음악을 흥얼거립니다. 벨카와 스트렐카가 말합니다.

벨카와 스트렐카 "아, 들었어요. 그때 기술로는 애초에 대기권 진입 불가능하다는 거. 돌아오지 못할 길을 떠났다는 거. 네가 떠난 후, 사람들은 당신을 위해 노래를 만들었어요. 당신의 덕망을 비애 있게 읊조리면서도 묘한 희망이 느껴지는 그런 노래들. 그런 걸 고결한 희생이라고 부르더라고요. 님은 더 이상, 떠돌이 잡종 개가 아니라 최초의 우주 비행견 라이카로 불리고 있어요. 이곳 지구에서. 어차피 이 기나긴 결코 끝나지 않을 억겁의 시간 속에서, 인간에게 남는 것은 각자가 감내해야 할, 각자에게만 보이는 고통과 심연 그뿐입니다. 고통과 심연의 희생이란 얼마나 위대한가. 비애. 우울. 슬픔. 인간만이 가질 수 있는 감각입니다. 과거를 기억하기 때문에, 미래를 계획하기 때문에 인간은 이러, 저러 그러한 감정을 느끼게 되는 거죠. 그런 것들만이 고통을 격상시켜 보편의 우주로 나아가게 한답니다."

라이카 와, 이게 바로 나를 위해 쓴 한 편의 글이군요. 누가 이 글을 소리 내어 말하게 될까요, 이왕이면 잘 좀 하고 매력도 좀 있고 인지도도 좀 있는 사람이었으면 좋겠네요.

—사이. 무엇인가를 듣는다.

—음악이 흐른다. 추상적 차원의 실체 없는 고통. 그 공간에서 벨카와 스트렐카가 만난다.

쟤네는 벨카와 스트렐카예요. 소련은 라이카 이후에도, 개 50여 마리를 우주선에 태워 실험을 진행했습니다. 1960년 '벨카'와 '스트렐카'란 개들은 스푸트니크 5호를 타고 우주 공간으로 갔다가 하루 만에 무사히 돌아왔지요.

벨카와 스트렐카   쟤네가 바로 벨카, 스트렐카.

라이카   지구 상공 궤도를 17바퀴 돈 뒤 발사 하루 만에 모두

살아서 지구로 돌아온.

아, 어, 저건, 뭐지? 어? 뭐지, 저건, 아.

아, 저건 (잡종) 개야. 분명 우주선과 함께 타 버렸다

고 들었는데.

인생에 단 한 번뿐일 풍경을 보기 위해

12시간을 달려가는 한 가족과,

새끼를 낳기 위해 혹은 부모로부터의 독립을 위해

길을 건너는 고라니.

고라니   단지 이쪽에서 저쪽으로 건너가려 할 뿐. 무엇을 위

해 이쪽에서 저쪽으로 건너가려 하는지 말할 필요가

있을까. 알 필요가 있을까. 저쪽으로 넘어가려는 것

에 확실한 이유나 원대한 목표가 없다면, 이 죽음은

하필 지금 혹은 그때 건너가려 한 잘못이거나 기록

기억 회자될 수 없는 혹은 나눠질 수 없는 이야기. 그

러나 곧 여기 당신들의 눈앞 빛, 소리 속에서 이런 종

류의 것들을 오래 해 왔기에 꽤 잘하는 사람들에 의

해 펼쳐질 풍경들. 그들이 만들어낼 풍경들. 알 수 있

을까.

이미 죽어 다시 몇 번이고 반복되어 펼쳐질 죽음은

무엇이 되려 하는가.

어젯밤. 한 고라니가 어미 고라니로부터 독립하는 날이었다. 물을 마시기 위해 이쪽에서 저쪽으로 건너갈 것이다. 일주일 후의 어느 밤. 한 고라니가 새끼 낳을 곳을 찾기 위해 이쪽에서 저쪽으로 길을 건넜다. 어느 곳에서도 반복되어 펼쳐지지 않았어야 할 죽음들.

이것이 끝나면, 당신에게 조금은 그랬던 날이 되어버릴 그런 날들.

나는 왜 나에게 달려오고 있는 차의 소리를 보지 못했는가.
나는 왜 나에게 달려오고 있는 차의 빛을 듣지 못했는가.
나는 왜 나에게 달려오고 있는 차가, 바로 내 앞까지 왔을 때 그제야 이 차가 계속해서 나에게 달려오고 있었음을 알아차릴 수 있었는가.

순간 멈춘 나는, 나에게 달려오고 있던 그 차 안의 누군가와 눈이 마주쳤다고들 한다.

우리는 그렇게, 눈이 마주쳤다고 한다.

질문 하나. 나의 눈은 누구의 눈과 마주쳤는가.

왜냐하면, 십 분 정도 후 곧 보게 될 것은,
어두운 밤길 헤드라이트 빛을 받은 채 멈춰 서 있는
어둠과 빛이 어우러진 색채가 담아 놓은
풍경 같은 그림 속의 것이므로,
고라니인지 사슴인지 한 번에 알아차릴 수 없는
그런 고라니이거나 사슴일 테니까. 어쩌면 노루, 개
라고 생각할 수도 있겠지. 무슨 상관이겠어. 고라니.
사슴이나 노루와 잘 구분하지 못하는 그저 그런 사슴
과의 동물일 뿐인 그 고라니. 그리고 그 고라니가 되
려했던 사람들. 잠깐이라도 그 고라니가 될 수 있다
고 믿었던 사람들에 의해 펼쳐질 이야기를 보기 위해
작은 상자 안 어둠 속에 잠복해 있는 사람들.

도저히 이해할 수 없는 알고리즘에 의한

DJ	그때, 뭘 하고 있는 중이었는지 말씀해 주실 수 있을까요.
북미멧새	그때, 우리는 날아가고 있는 중이었어요.
DJ	무엇을 위해 날아가고 있었는지 말씀해 주실 수 있을까요.
북미멧새	겨울을 나기 위해.
DJ	그때 어디 즈음이었는지

	말씀해 주실 수 있을까요.
북미멧새	그때 S도시 위요.
DJ	그때 마음이 어땠는지 그리고 조금만 더
	자세히 이야기해 주실 수 있을까요.
북미멧새	원래 그때 우리가 날고 있던 곳에서 대략

사천 미터 정도 되는 곳으로 옮겨졌더라고요.

몇 시간 동안 방향을 잡기 위해 애썼어요.

때로는 별을 보고, 때로는 태양을 통해,

때로는 직감각적으로 방향을 잡아요. 그러니까

그때 그 S도시 위를 날고 있을 때, 그때 우리는

어둠 속에 갇힌 거였어요. 순간 불이 꺼졌고,

상자에 갇혔어요. 커다란 비행기 안이었고,

비행기 안 작은 상자 그 어둠 속에서 그 상자

틈으로 들어오는 빛을 보고 있었어요. 그때?

다시,

인생에 단 한 번뿐일 풍경을 보기 위해

12시간을 달려가는 한 가족과,

새끼를 낳기 위해 혹은 부모로부터의 독립을 위해

길을 건너는 고라니.

(수를 헤아리느라 지연되는 말들)

한… 사…천 건 정도?

삼백 건 정도…는 한곳에서?

하루 한 마리 꼴…?

내가 여기 당신 앞에서, 그때 그 죽음을 이렇게 그렇게 저렇게 묘사할 필요가 있을까. 당신들이 여기서 굳이 듣고 보고 있다고 믿는, 구체적이면서 감각적이고 살아 있는 듯, 때로는 핍진하고 처절한 동시에 아름답게 느껴지는 잔인하고 지독한 그 풍경의 묘사를 죽음 그 자체라고 볼 수 있나. 꼭 그래야만 했나. 꼭 기술하고 말하고 웅얼거리고, 때로는 잘 배워 익힌 움직임 후 눈에 물 맺히고 운 좋으면 뺨 타고 뚝뚝 흘러내리던 물. 다른 사람들이 다른 곳에서도 쓰려고 탐낼 만한 잘 작곡된 잘빠진 그 음악들 잘 틀고 그렇게 빛 아름답게 잘 흩뿌리고 그렇게 잘 다려진, 그러나 나 고라니의 계급성이라는 게 있으니 살짝 낡고 바랜 그런 옷, 그러나 배색 꽤 괜찮은 그런 옷 입고 그렇게, 잘했어야 했나. 그렇게 잘 울고 잘 울어서 그걸 보고 듣는 사람들을 울리고 웃기고 그렇게 했어야 했나. 다리가 부서진 고라니가 갓길에 쓰러져 있는 걸, 그걸 그렇게까지 서정적으로 비애롭게 그려냈어야 했나. 잘 직조되어 매끈하게 평평히 흐르는, 영원히 갇히는 것 없는 완전한, 적 시간이라는 거. 늘 그렇게 했어야 했나. 고라니가 그걸 보고 있을지도 모른다는 생각은 단 한 번도 해 본 적이 없나. 바로 당신 옆 거기 어둠 속에 앉아 있어. 유해동물?

멸종위기 수준인데?

그러나 개체수의 증가?

주변 작물 파괴? 교통사고 유발?

멧돼지와 달리 식용도 안 된다?

어따 써? 고라니? 벌떡 일어나 달아나렴. 그래봤자
너는 1) 갈색의 귀여운, 2) 차가 치기 직전의 순간, 감
정을 읽어낼 수 없는, 그렇기에 매혹적인 동그랗고
맹한 큰 눈으로, 3) 자동차 속에 앉아 있을 그 사람을
뚫어지게 쳐다보았을, 4) 어둔 밤 기어코, 기어이 혹
은 굳이 길을 건너려 했던 인상적인 한 마리 동물 이
미지로 찍혀 배포될 홍보용 포스터에 등장할, 5) 애
처로우면서 묘한 그러나 반드시 귀여운 기운을 풍길,
앞으로도 계속해서 차에 치일 수많은 고라니 중의 하
나일 테니까. 사진이 찍히기 전에, 달아나는 수밖에
는 도리가 없어. 6) 다리를 절뚝거리며 뒤돌아 걸어
가는 내 등 뒤로 터지던 플래시 소리. 내가 눈이 마주
친 건, 운전대를 잡고 있던, 브레이크를 급히 밟아야
만 했던 차 안의 그 사람이었다고 생각했는데, 그게
아니라고 하더군, 내가 눈이 마주친 건 렌즈였다고.
렌즈여야 했다고. 나의 이 지금 순간을 포착하려는
렌즈. 사람의 눈이 아니라. 그래도 너무 인정머리 없
다 생각하지 말라 하더라. 렌즈 뒤에 숨을 죽이고 부
릅뜬 사람 눈 온기 있으니까. 착각은 자유! 내가 하면 '

거장 롱 테이크 혹은 욘 포세적 침묵과 사이. 그놈의
침묵과 사이. 남이 하는 거 보는 건 지겨워 죽어. 롱 테
이크 예술영화 틀어 놓고 밥 먹고 빨래 널고 다 할 수
있어. 그것도 감상한 거니까 뭐 그날 하루는 아, 나는
음, 꽤, 그런 스웨덴 혹은 태국 영화 하나 봤다, 맥주 한
잔 먹고 꿀잠 자자. 참 잼있었어. 좋은 영화였어. 내일
밤에 애인이랑 이 예술영화에 대해 촛불 켜고 와인 마
시며 대화 나눠 봐야지. 5, 4, 3, 2, 1. 내 몸에 금속이 닿
는 그 순간,

그 사람
아, 얼마나 놀랐을까.
핸들에 처박힌 고개를 한동안 들지 않을 정도였으니.
둔탁해야만 했던 그 소리. 이것에서 그것을 표현할 수
있나.
턱 탁 툭 둔탁한 소리 스피커 통해 들려줄 필요 없다.
자동차의 헤드라이트 저 높은 곳 빛으로 보여 줄 필요
없다.
하지만 우리는 그런 것을 더 좋아할 수도 있지 않을까.
하지만 나? 고라니? 당신에게 사랑받기 위해 태어난
건 아니야.
더 이상 좋아하지 않게 되었다. 그런 것들?

하지만 한때는 좋아했지. 그런 것들.

개 혹은 고라니　나, 고라니가 차에 치이는 그 순간, 감이라는 거 발생시키기 위해 사용되는 빛과 소리. 여전히 이곳에 떠돌고 있다. 그런 걸 본 적이 있다. 지금도 보고 있다. 나는 죽고 있었고, 지금 다시 죽고 있고, 내일도 죽을 거고 그것은 내가 아닌 누군가에 의해 매일 반복되었고, 그 순간에 숨을 죽인 것은, 내가 아니라 빛과 소리를 제때에 틀어야 하는 사람들. 누군가가 나의 죽음을 매일 했고, 때로는 더 잘하고 싶어서 광광 울어대면서 한 번 더 해 보자, 한 번 더 해 보자, 한 번만 더 제발, 자꾸 하다 보면 더 잘할 수 있겠지. 그 자, 그런 걸 꽤 잘하는 것으로 정평이 나 있는 사람이었나? 어둠 속에서 지켜보는 사람들 앞에서 힘 합쳐 죽음 수행했고, 가장 결정적인 순간에 도달하기 약 30초 전부터 허리 꼿꼿하게 편 사람들이 드디어, 버튼 누르면, Go. 이곳 거실 소파 위로 쏟아져 내리는 빛과 소리. 빛은 19초에 걸쳐 완성, 소리는 10초에 걸쳐 사라지고.

　　　　　　　　－개, 보며 혹은 들으며

개 혹은 라이카　아니야, 이건 아니야. 이것도 아니야. 이건 좀 그래. 다음 거, 음. 아니야. 이것도 아니야. 다음. 다음. 아, 아니야. 이것도 저것도 아니야. 저것도 그것도 아니야, 이건 당연히 아니고. 그건 정말로 아닐 테니 할 생각 마. 나. 개.

고라니 나 역시 그것을 객석에 앉아서 보고 있었다. 나의 죽음이 누군가에 의해 몇 번이고 아름답게 그려지고 있는 것. 그 풍경. 나는 그 풍경 속으로 들어가지도 못한 채, 내 옆에 앉아, 그것을 바라보며 눈물을 흘리는 당신을 몰래 훔쳐보았다. 당신은 아주 조용히 내 죽음의 풍경 속에서 눈물을 흘렸다. 묻고 싶다. 이름이 무엇인지. 내 고통의 구체성이 무엇인지. 그럴 수 없다. 그런 건 매너가 아니라고들 배웠을 테니까. 당신이 어둠 속에서 나의 죽음을 마음껏 감상할 수 있도록 시간을 줘야지. 관대해져야 해. 당신만의 시간을 방해하면 안 되지. 움직이지 마. 화장실 가고 싶어도 참아. 뛰어나올 가능성이 있는 사람은 애초에 오지 마. 숨죽이고 있어. 숨 쉬지 마. 당신이 관심 있는 건, 당신 바로 옆에 앉아 있는 나 고라니가 아니라, 저기 저 빛과 소리 속 이, 저, 그 위에서 죽어 가고 있는 것을 다시 살려낼 수 있다 믿는 것의 미감. 그러니 그런 걸 물어보는 것은 매너가 아니지. 쉿. 사슴과의 어떤 동물의 죽음. 굳이 내가 아니어도 상관없을, 이곳에서 몇 번이고 반복되는 죽음들.

얼마나 길게 느껴질까.

실은 이 시간,

핸들에 고개를 처박히고 난 후

고개를 들지 않았던,

옆 좌석 사람 숨이 멈추고,

라디오 음악 떠다니고,

뒷좌석 감자칩은 쉿, 공중에 머물고 있고,

창문만을 응시하던 개가 처음으로, 앞쪽으로 고개를 돌렸던,

그 사람의 세계가 멈춰 있던 그 시간 동안일 뿐인데.

개　　헥헥거리는 개 소리 흘렀던.

고라니　　그 사람의 세계가 멈추기 이전에, 나 고라니의 세계가 먼저 멈춘 것 같은데.

왜냐하면 그 자가 핸들에 고개를 처박았을 때, 고라니는 숨통이 끊어지고 있었으니까.

그렇다면 누구의 세계가 먼저 멈췄다고 보는 것이 바람직한가.

　– 조명이 꺼진다. 즉, 암전.

개, 고라니, 라이카　　젠장. 내 이럴 줄 알았어.

　　　　　　God damn it.

　– 일 분 정도 동안. 와이퍼 움직이는 소리. 운행 중인 차 내부의 소리.

DJ　　오래 기다리셨어요. 안녕하세요. 이제 좀 들어오실

수 있을 거예요. 왜냐면, '(우리) 모두를 위한 이 밤의 라디오' 오늘 밤도 찾아와 주셔서 감사합니다. 아직은 잠들고 싶어 하지 않는 사람들, 또 이렇게 하루를 마치는 것에 아주 조용히 분노하고 있는 사람들, 이제라도 무엇인가를 적어 내려가기 위해 몸을 일으키려 하는 절망적인 사람들을 위한 시간. 해가 뜰 때까지 깨어 있고 싶은 사람들을 위한, 당신을 위한 라디오. 해가 뜨는 것을 보고 잠이 들면, 마치 오늘 하루는 특별하게 보냈다는 착각에 눈을 감을 수 있을 것 같은 당신. 내일이라고 달라질까요. 내일이라는 게 있기는 한 걸까요. 뭐 있겠죠. 내일이라는 거. 없을 리는 없겠죠. 내일은 어떻게 될까요. 오늘도 내일을 위해 다 같이 한곳에 모여서 무언가를 만들어내기 위해 애쓰면서도 멈춤의 가속도가 붙어 펴져 나가고 있던 시간 속, 언제 잠잠해질지도 모르는 채로, 그래도 해야 하는 게 있으니 멈출 수가 없으니, 만약 멈춰야 한다면 모두 모여 위스키 한잔하는 것으로 마음을 끝내는 것밖에는 도리도 없고, 방법을 모르는 이것을 위해, 당신들이 듣고 있는 이것을 위해 하루하루 같은 것을 조금씩 해내면서도, 텅텅 비어 있을지 모를 어둠 속의 세계는 그저 받아들이는 수밖에 없으니, 꾸역꾸역한 열정과 의무감으로 시간을 감내해 온, 몇 번이고 생각한, 돌아가야 하나, 여기서 멈춰야 하나, 그렇다면 앞으로는 어떻게 해야 하나, 그런 오늘들을 보낸 사람들이 듣고 있을, 내일은 없을지도 모를 라디오. 오늘은 첫 곡으로 영화 음악을 하나 들어 볼까 합니다. 가족을 꾸린, 꾸린 후 생애 첫 여행을 떠날, 두둥, 정말 기대되시죠? 당연히, 헤테로 섹슈얼 정상 가족의 이야기. 어느 날 부모1, 선포합니다.

– 부모1, 등장한다.

부모1 부모1, 선포합니다. 가족들 앞에서.

DJ "호이! 파라다이스 호텔을 예약했어."

– 부모2, 등장한다.

부모2 부모2, 놀라 말합니다.

DJ 부모2, 놀라 말합니다. "Holy shit. 뭐라고? 거기가 얼마나 비싼 덴데." 부모1, 그 호텔 방에서만 볼 수 있는 것에 대해 신이 나서 떠들어댑니다. 마치 그곳에 다녀온 사람처럼. "그러니까 당신, 부모2 말이야. 거기서 뭘 볼 수 있는지 알아? 뭐가 보이는지 알아? 그 풍경이 어떤지 알아?

부모2 그 풍경이 어떤지 알아?

– 사이.

부모2   모르지. 그런 거. 우리는.

부모1   당신, 평생 모르고 살고 싶어?

부모2   뭐를? 당신도 뭔지 모르는 채로 한껏 들떠 있는 그거 말하는 건가.

부모1   당신, 생각보다 흥이 없는 사람이었구나. 저기, 당신 우리 삶에, 한 번은 그런 걸 봐야 하지 않겠어? 그런, 아니지 이런 이야기 들어 봤어?

- 라디오 주파수를 맞춘다.

부모1   삼 분 만에 끝낼 수 있는 이야기야.

삼 분 안에 끝낼 수 있는 일화

어떤 영화배우가 해외로 영화 촬영을 갔다가, 어떤 풍경을 봤다는 거야. 그곳에 함께 간 또 다른 영화배우들, 영화 스태프들, 영화감독 모두 그 풍경 보고 눈물 흘릴 정도의 어떤 풍경, 아마 살아 있음에 감사하고 뭐 그럴 풍경. 원래는 필름에 그 풍경을 담을 계획 없었는데, 그 풍경에 사로잡히고 만 영화감독이 '자신의' 영화 관객들에게 꼭 보여 주고 싶다며 촬영감독한테, "얼른 저 풍경을 담아! 찍어! 롤링!"

그 영화에 출연했던 영화배우는 집으로 돌아오자마자, 정말로 다시 비행기를 타고 '자신의' 가족들을 데리고 혹은 함께, 다시 그곳

에 갔대. 사랑하는 사람들에게 그 풍경을 보여 주고 싶었던 거랬어.
당신, 알지? 그런 게, 그런 거 진짜라는 거. 아, 맞다.

옆집 사는 세일즈맨 윌리 알지?

윌리는 출장을 갔다가 그 풍경을 보게 되었대. 고된 하루 출장일을
마치고 싸구려 숙소에 들어온 윌리는 혼자였대. 침대 위에 머리카
락 몇 올이 떨어져 있는 그런 숙소. 윌리는 커튼을 보며 생각했대.
저 커튼을 열면, 벽에 그림이 그려져 있겠지.

긴 한숨을 쉬며 윌리는 커튼을 걷었어. 놀라지 마. 쉿. 놀랍게도, 벽
에는 그림이 아니라 창문이 있었고 그 창문 너머에는 당신이 상상
할 수는 있겠지만 굳이 시간을 내 상상 같은 건 하지 않았을, 그래
서 우리를 압도할 풍경이 펼쳐져 있었다고 해. 그 풍경을 보면서 윌
리는 생각한대.

그 누구에게도 이 풍경에 대해 말하지 않을 거야.

가족들에게도. 평생 혼자만 간직할 거야.

담아! 찍어! 롤링!

영화는 흥했고, 영화배우는 크게 실망했어. 사람들이 영화배우의
연기에 대해서는 이야기하지 않았기 때문이라고 했어. 그 영화배우
의 압도하는 독백 뒤로 펼쳐진 풍경. 누군가는 영화 상영 중에 이렇
게 소리쳤어. 호이, 비켜, 안 보이잖아. 그 앞에 앉은 사람은, 자신이
어제 한 볼륨 파마 때문에 스크린이 안 보이는 거라고 생각해서 자
신의 몸을 아주 깊숙이 의자 아래쪽으로 찍어 끌어 내리지만, 사실
그 말은 그 영화 속에서 꽤 잘하고 있던, 내가 아까 말했지? 그건 그
실망한 영화배우를 향한 말이었어. 비켜. 안 보여. 왓더퍽. 쉿! 제발
깔짝대지 말고 내 인생에서 좀 비켜 줄래. 쉿. 내가 보고 싶은 건 네

가 아니라 네 뒤의 풍경이라고. 그 영화 속에서 멋지게 독백을 하던 그 영화배우는 많은 사람들이 지켜보는 그 영화관 안 스크린 속에서 멋쩍게 한 스텝씩 천천히 사라져야 했고, 혹여 누가 잡아주지 않을까 끝까지 기대하며 천천히 퇴장, 그러나 아무도 붙잡지 않은 그 영화배우가 완전히 사라지고 난 후 온전히 남아 있던 그 풍경, 사람들은 숨죽이고 바라보았단다. 쉿! 제발 좀 조용히 해 줘. 그래. 사람들은 (명동역 3번 출구까지) 줄을 섰다. 내가 세 번이나 말했지? 영화가 크게 흥했다고. 당신, 내가 몇 번이고 말했던 옆집 언니 윌리 기억해? 세일즈 출장 갔다가 싸구려 숙소 커튼을 걷고 그 풍경을 맞닥뜨렸던 그 윌리 말이야. 혼자만 그 풍경을 간직하고 싶었던 그 윌리 말이야. 출장에서 돌아와 여느 날과 다름없이 바삐 일을 하다가 쉬는 날 가족들과 영화관을 찾은 윌리 말이야. 회사 일에 지쳐 영화 제목이 뭔지도 모르고 아이들 손에 이끌려 영화관을 찾은 윌리 말이야. 영화관 의자에 앉아 깊게 한숨 잘 생각뿐이었던 윌리 말이야. 자신이 코 고는 소리에 놀라 영화 중간 문득 잠깼을 때, 그 풍경을 보고 만 윌리 말이야.

화가 났어, 윌리는. 주위를 둘러보니, 영화배우가 한 명도 나오지 않는 그 영화를 사람들은 빨려 들어갈 듯이 보고 있었어. 윌리는 누구에게 혹은 무엇에 화가 났던 걸까? 우리는 침대에 누워 그 풍경을 바라보기만 하면 되는 거야. 방의 불을 끄고, 당신은 누워 있기만 하면 돼.

내가 당신에게 삼 분 동안 팔베개를 해 줄게. 쉿.

부모2   단지 그걸 보기 위해, 하루 꼬박을 달려서 갈 가치가 있다고 생각하는 거야?

부모1   세계가 머물고, 다시 세계가 떠오르고. 힘들게 도착한 그곳. 우리는 방의 불을 모두 끄고,

부모2   당신, 그 순간을 말없이 지켜보기만 하면 된다고 말하려는 건가?

부모1   깜박이는 빛들이 보일 거야. 어딘가로 이동하고, 어딘가에서 반짝이는 그 빛들. 그리고 점점 우리로부터 멀어지지. 아주 천천히.

부모2   너무 추우면? 다니엘이 감기 걸리면? 그리고 다니엘은 멀미도 하는데?

부모1   Damn it. 당신, 망치고 싶은 거야? 당신, 그 풍경을 보고 나면 분명 이렇게 생각할 거야. '내가 이 풍경을 못 봤다면 얼마나 억울했을까. 평생, 저 풍경이 무엇인지 저 풍경의 이름이 무엇인지 모르고 살았어야 한다면' 당신.

부모2   보지 못했는데, 보지 않았다고 억울해할 수 있나.

부모1   말했잖아. 빛 때문에 유리창에 반사되는 물체들이 없도록, 방의 불을 모두 끄고, 숨을 죽이고, 우리는 투명한 유리 너머로 바라보기만 하면 되는 거야. 내가 팔베개를 해 준다고 말했잖아. 나갈 필요는 없다고 말했잖아. 감기 걱정 같은 건 할 필요 없다고 말했잖아. 후기를 보니까, 숙소 주인이 얼마나 그 유리창을 깨끗이 닦는지 그래서 얼마나 그 풍경이 잘 보이는지

난리도 아니더라. 멀리서 나는 새들. 새들이 끽끽거리는 거슬리는 소리는 아련하게 들려올 테니 귀에 거슬리지 않을 거야. 왜냐하면 유리는 추위가 우리 방으로 들어오지 않을 정도로 충분히 성실하게 두껍지만, 파도 소리가 침대 위 우리에게 충분히 도달할 수 있는 그런 곳이기 때문이지. 내가 말했잖아.

– 사이.

부모1   몇 번이고.

부모2   바삐 움직이는 빛들. 바삐 뜨는 해.

천천히 떠내려 오는 하루.

물론이지, 우리 생의 가장 아름다운 날이 될 거예요.

이름 모르기에 아름다울 풍경.

가 보지 않았다면 평생 몰랐을 풍경.

DJ   단 몇 시간 그 풍경을 보고 난 후, 다시 짐을 싸서 다시 하루 꼬박을 달려 돌아와야겠지만, 결코 잊지 못할, 우리만의 풍경을 담을 수 있을 거야. 다니엘. 아무리 반복해도 외워지지 않을 그 수학 공식 때문에 시험 시간에 얼굴을 파묻고, 초등학생답지 않은 지독한 울음이 생각날 때가 반드시 올 거야. 그때 섣불리 고개 들지 마. 괜히 희망 같은 거 꿈꾸다가 더 지독하게 더더 평범한 삶으로 더 빨려 들어가게 될 수 있으니. 그냥 고개 처박고 있어. 우리가 함께 말없이 숨죽이고 어둠 속에서 바라봤던 그 그림을 떠올리면 된단다. 멀미와 감기 정도는 참을 수 있겠지?

개   다니엘.

아이   파트라슈. 파트라슈도 데려가도 되나요.

부모2   우리는 다시는 파트라슈의 목줄을 놓지 않을 거야.

DJ   한 가족, 패터슨과 마샤 그리고 다니엘은 파트라슈와 함께 결국 그곳을 향해 달려갑니다. 아들과 개는 함께 거실 소파에 기대어 부모가 퇴근하기를 하염없이 기다렸어요. 부모가 퇴근길에 사 온 샌드위치와 다니엘이 미리 챙겨 둔 감자칩도 함께 차에 올라탑니다. 밤을 새 그곳에 도착할 예정이었어요. 그래야 일터에서 하루치 일당도 받을 수 있고 그래야 하루 숙박비도 아끼고 그럴 테니까요. 마음을 들뜨게 하는 그곳에 영원히는 머물 수 없다는 걸 아는 사람들이 챙기는 성실함 같은 것들 덕에 자동차 내부는 금세 안정을 되찾았지요. 라디오에서 나오는 음악. 감미로운 디제이의 목소리. 한동안 들뜬 기운으로 자동차 안은 시끌벅적. 부모는 젊은 연애 시절 즐겨 듣던 음악을 틀어 주는 라디오를 들으며 큰 소리로 노래 따라 부르고, 뒷좌석의 착한 아이 다니엘은 부모1과 부모2, 콜린과 줄리아의 뒤통수를 바라보며 옆 좌석에 앉은 개.

– 사이.

고라니 개.

개   개. 그 몸에 손을 얹고 있습니다. 개. 개는 하염없이
        차창 밖을 바라봅니다. 개는 차창 밖의 풍경에서 눈
        을 떼지 않습니다.

아이   개. 너는 무얼 보고 있는 걸까요. 하루 한 번의 동네
        산책이 전부였던 개. 나를 개학교에 잠시 맡겨 두고
        가는 걸까. 아니면 나도 데려가는 걸까. 내 앞에서는
        나를 그 여행에 데려갈지 말지, 한 번도 말하지 않았
        던 사람들. 나는, 분명 개학교에 맡겨지게 되겠지. 거
        기 개들은 영 친해지고 싶은 놈들이 아닌데. 그 풍경.
        내 앞에서 니들이 떠들던 그 풍경, 나에게는 결코 주
        어지지 않을 그 풍경. 니들이 빛과 소리라고 부르는
        그것들. 그리고 하늘을 줄지어 날아가는 새 떼에 대
        해서도 이야기했는데, 분명 나도 들었는데.

개   개는 차창 밖에서 단 한 번도 눈을 떼지 않습니다.

아이   마치, 쏜살같이 지나가는 이 풍경이라도 눈에 담고
        싶다는 듯.

개   곧 어둠이 찾아오고, 길을 달리는 차는 하나도 없습
        니다. 자 이제, 차 안은 조용합니다. 개는, 그래도 하
        염없이 차창 밖 까만 어둠밖에 없는 풍경에서 눈을
        거두지 않습니다. 차 안에는 엔진 소리. 가끔 턱을 밟
        았는지 덜컹거리는 소리. 까무룩 잠이 들었던 다니엘
        이 깨서 감자칩을 먹는 소리뿐. 오늘 밤은 다니엘에
        게 감자칩 섭취가 허용되는 날.

부모2	토마스.
개	토마스라고?
	토마스.
부모2	토마스. 오늘부터 너는 혼자 자게 되는 거야.
개	"토마스 너는 혼자"라고 하는 걸 보니, 나를 안 데려 가는 게 맞구나.
고라니	17분 후 감자칩 소리가 뚝– 하고 끊길 겁니다.
부모2	무섭니? 넌 항상 그걸 원했잖아.
아이	무서워요. 하지만 나는 괜찮을 거예요. 그런 건 결국 제가 감당해야 할 몫이니까요. 누구도 거기까지는 함 께하지 못해요. 어둠 속에 혼자 누워 있게 되는 거, 그 런 건 결국 각자의 몫이에요. 누구도 거기까지 함께 걸어 들어와 주려 하지 않는다는 거 알거든요. 나도 누군가의 그런 곳에 끝까지 걸어 들어가고 싶지 않고 요. 내가 오늘 혼자 자게 될 그 방 안에 아주 큰 유리 창문이 있는 걸 봤어요. 괜히 기대하게 하려고 커튼 같은 거 쳐 놓지 않은 담대한 방. 나는 아직 담배는 모 르니까. 그 유리 창문을 열고 나가 테라스에 서서 그 풍경 소리 바라보며 그 어둠 속에서 그 담배 한 대 피 우지는 못하는 것이 조금 아쉽긴 하지만, 아직 나는 지독한 고독 같은 거 영원히 모를 어린아이일 테니까 이 침대에 누워 몸을 잔뜩 웅크린 채로 떠오르는 태 양을 바라볼 거예요.
개	보통 개학교는 이런 곳에 있지. 시내에 있으면 땅값

이 비싸니까. 이런 외진 곳에 꼬박 하루 남겨지게 되는 거였구나. 이 길은 너무 어둡고 길다.

부모2 토마스. 언제든 우리 방문을 두들겨도 된단다.

아이 물론, 아이에게 그럴 수 있는 권한 정도는 줘야 하는 거죠. 그렇지? 뽀삐.

DJ 당연히 다시, 라디오가 시작됩니다. "저 뽀삐는 뭘 보고 있는 걸까?" 안녕하세요. 청취자 여러분. '모두를 위한 이 밤의 라디오' 오늘 밤도 감사합니다. 오늘은 OST로 당신을 위한 라디오를 시작하려 합니다. 제목은 〈로드킬〉 혹은 〈로드킬 인 더 씨어터〉겠죠. 1957년 혹은 2022년. 캔버스에 유화. 한 가족이 꼬박 하루에 걸쳐 길을 떠납니다. 뒷좌석에는 시트에 침을 뚝뚝 흘리며 하염없이 차창 밖의 풍경을 바라보고 있는 개 한 마리. 멀미를 견디지 못해 빌린 차에 토해 버린 한 아이. 배우자가 여태까지 운전을 배우지 않은 것에 대해 십 년 만에 화가 나기 시작하는 한 배우자. "어떻게 나와 상의도 하지 않고, 운전을 배우지 않을 수 있는 거지?" "내가 하지 않을 것에 대해서도 당신과 상의해야 하나?" "내가 운전을 배우지 않는 이유는…."

– 들리지 않을, 사이.

저기! 미안한데, 그런 보편적 과거로부터 비롯된 특

정한 두려움 같은 건 굳이 알고 싶지들 않다고 방금 청취자 여러분께서 게시판에 올려 주셨네요. 음악 듣겠습니다.

- 음악이 나온다.

부모1   왜 그걸 나한테 이야기하지? 나는 당신이 운전을 배우지 못하는 이유를 감당할 수 없어.

부모2   당신, 나에게 여태까지 화가 나 있었던 거야?

부모1   아니, 지금.

부모2   당신은 참, 화가 늦게 나는 사람이야.

DJ   떠날 때의 들뜸은 자연스레 가라앉고,

개   이제 헤드라이트의 빛에 의지해, 도착만을 향해 가는 운행 중인 자동차 내부 소리. 히터 때문에 점점, 차 안을 가득 채우는 토사물과 침 냄새. 창문을 열어야 하나.

다시, 돌아가야 하나.

애초에 잘못된 출발이었다면 어떻게 해야 하나.

우리가 그곳에서 볼 풍경이, 아름답지도 완전하지도 않은 것이라면 어떻게 해야 하나.

DJ   청취자 여러분. 드디어 고라니와 자동차가 충돌하는군요. 여기서 퀴즈. 누구의 세계가 먼저 멈췄다고 보는 것이 바람직할까요. 정답을 아시는 분들은 #1023으로 문자 보내 주세요. 1유에스달러, 6위안, 0.7파운

드, 23만동, 0.9유로가 자동부과됩니다.

고라니 자동차에서 내립니다. 핸들에 한참을 처박혀 있던 고개들 드시고, 숨을 쉬세요. 차 문을 열려고 하는데, 손이 떨려서 문을 열기가 쉽지 않습니다. 이것은 비유가 아닙니다. 겪어 보신 분들은 아시겠지요. 그리고 겪어 봤으니 더 쉽게 그, 이 풍경 속으로 들어올 수 있겠지요. 헤드라이트의 빛이 가리키는 쪽으로 걸어갑니다. 떨리는 손을 다른 손으로 움켜쥔 덕에 온몸이 떨리고, "나 술을 마신 건가. 아니야. 그럴 리 없잖아. 그런데 왜 이렇게 걷고 있는 거지. 저기, 저 연기가 나는 저곳까지 그리 멀지가 않은 거 같은데, 왜 이리 멀며, 분명 늦은 밤, 이 길을 달린 차는 우리밖에 없었는데, 어디선가 나타나는 사람들, 아니, 나타난 게 아니라 원래 있었던 건가, 어둠 속에 잠복해 있었던 사람들인가, 그 사람들 모두 나를 바라보고, 동네 사람들인 건가. 찌그러진 보닛에서 연기 피어오르고." 걸어가면서 드는 생각은 단 한 문장뿐. "아, 이 순간 내 인생에서 결코 지워지지 않을 순간이겠구나." 누구의 세계가 먼저 멈췄다고 보는 것이 바람직한가.

아, 고라니다. 다행이다.

눈과 마주칩니다. 뒤를 돌아봅니다. 아이와 어른 그리고 개, 서 있습니다. 말을 합니다.

부모1 "내가 보지 말랬잖아?"

고라니	말을 합니다.
부모2	"이름 모르기에 아름다운 풍경, 가 보지 않았다면 평생 몰랐을 풍경."
고라니	마주친 눈은, 한 개의 눈이었습니다. 파트라슈라고 불리던 한 마리의 개. 파트라슈? 야, 개. 너 이름이 그게 뭐냐.
개	너는 뭔데. 여기서.
고라니	나는 고라니.
	어? 어? 어? 어. 어⋯ 어, 어 저게 뭐지?

다시 비 오는 밤,

동네 바(bar)에 앉아 텔레비전으로 비둘기 경주를 보는 사람들.

사람1	Damn it! 도대체 언제 시작한다는 거예요?
사람2	곧 하겠죠?
사람1	장난해요. 아까도 그 말 똑같이 했잖아요.
사람2	그건, 당신이 Damn it! 도대체 시작하는 거예요? 라고 했기 때문이잖아요. 곧 할 거예요.
사람1	장난해요. 아까도 그 말 똑같이 했잖아요. Damn it!
사람2	곧 하겠죠.
사람1	어, 곧 끝나려나 봐요. 곧. Holy shit!

– 사람1과 사람2, 텔레비전에 집중한다. 빨려 들어갈 듯. 광고가 나온다.

사람2   God damn it! 장난해?

– 최대한 많은 사람들이 무대로 뛰어나와 광고를 구
현한다.

광고

여러분은 뷰를 참 좋아합니다.

숙소에서 보게 될 뷰를 선택하는 데 기꺼이 시간을 투자하죠. 심지어 숙소에 머무는 시간보다, 숙소를 선택하는 데 더 많은 시간을 쓸 정도로 뷰에 참 환장들 합니다.

어머나, 세상에는 다양한 종류의 뷰가 있습니다.

오션 뷰. 오션이 보이겠죠?
하프 오션 뷰. 오션이 딱 반만 보이는 뷰죠.
하버 뷰. 하버가 보여요.
씨티 뷰. 씨티가 보이고요.
하버 오션 뷰. 하버와 오션이 반반씩 보이겠죠?
마운틴 뷰. 마운틴이 보입니다.
가든 뷰. 가든을 볼 수 있어요.
단독 초특가. 씨크루즈 뷰.

그리고 노 뷰. 노 뷰라고 하면 다들 유리창이 없다고들 생각하겠죠? 아니오오오! 안타깝게도, 창문은 있는데 열어제꼈을 때 벽이 있는 그런 뷰를 노 뷰라고 합니다.

아, 그리고 마지막. 파노라마 오션 뷰. 여기에서도 저기에서도 거기에서도 고개만 돌리면 죄다 오션을 볼 수 있는 뷰. 오해하지 마세요. 뷰가 파노라마로 움직이는 게 아니라, 여러분이 고개를 계속계속해서 바삐 돌려야 파노라마 오션뷰를 즐길 수 있답니다.

여러분은 10초 후 이 광고를 스킵할 수 있습니다.

유독 사람들은 오션 뷰를 참 좋아합니다. 특히 창문을 통해 보는 오션을 참 좋아하지요. 심지어 호텔의 시설이나 서비스가 그닥 좋지 않아도, 오션 뷰가 끝내준다면 사람들은 기꺼이 좋은 후기를 남기지요. 이제, 자, 한 펜션이 있었습니다. 지은 지 꽤 오래됐고 그렇게까지 좋은 펜션은 아니었지요. 실은 지리적 특성 때문에 그 펜션이 있는 지역의 모든 펜션들은 거의 비슷하게 어마어마한 씨 뷰를 갖고 있었죠. 그러니까 이 펜션이 주변의 펜션에 비해 특별한 장점을 갖고 있지도 않다는 거죠. 심지어 군사경계지역이라 그 바다는 산책조차 불허되어 있었죠. 그래도 몇몇 사람들은, 기꺼이 그곳을 찾았죠. 하지만 그 펜션 주인이 생활을 영위할 정도로 사람들이 모여들 정도는 아니었죠. 펜션 주인은 자식이 성장해 갈수록, 이대로는 안 되겠다는 생각을 하게 되죠. 그제야 펜션 주인은, 호텔 예약 사이트의 후기를 꼼꼼히 훑어보기 시작하죠. 마침내 펜션 주인은, 한 가지의 패턴을 발견했습니다. '결론적으로, 너무 좋다.

숙소는 낡았고 그다지 좋은 장점은 없지만, 뷰가 끝내준다.' 그러다 가 그 중 하나의 후기가 눈에 띄었습니다. 그러니까 403호에 묵은 사람이 남긴 후기였죠. 그러니까 '밤에는 바다에서 반짝이는 빛들 을 새벽에는 뜨는 해를 볼 수 있다. 결론적으로, 헐, 대박 유리창 없 는 줄.'

라이카의 커튼콜

돌아올(갈) 수 없다면, 어떻게 해야 할까.

지금이라도 여기서 멈추는 게 낫지 않을까.

아니, 가는 수밖에 없어.

다시 비 오는 밤,

바에서 맥주를 마시며 두 사람이 텔레비전으로

경주를 보고 있다.

딸랑- 하며 누군가가 들어온다.

- 딸려 들어오는 소리. 빗소리. 추운 날. 비바람. 아까 그 라디오의 DJ. 바에 앉는다.

DJ   차는, 빗속을 뚫고 달려가고 있었어요. 창문을 열 수 는 없잖아요. 춥고, 비가 와요. 게다가 창문을 열면 라 디오 소리가 들리지 않을 테니까요.

고라니   이름이 그게 뭐야, 야, 정말 내 이름 그거야?

     — 개 파트라슈, 주변으로 모여들고 있는 사람들을 인식한다.

개   어. 어? 어? 어? 어. 어… 어, 어 저거 뭐지? 쌩쌩 달려오는 내내 창밖만 보고 있었고 우리 앞에도 뒤에도 다른 차는 없었어. 그런데 와, 다들 어디서 이렇게 몰려든 거지. 여기서 잘 보이지는 않아. 하지만 띄엄띄엄 저기에서 나를 보려고 몰려드네. 하지만 얼굴이 보이지는 않아, 여전히 어둠 속에 머물러 있거든. 그리고 그 사람들은 너를 혹은 나를 둘러싸고 있어. 도대체 무엇을 보기 위해 몰려든 거지.

다시, 광고

여러분은 이 광고를 30초 후에 스킵할 수 있습니다. 403호의 유리창이 유독 투명해진 건 펜션 주인의 동생이 머물고 다녀간 이후였어요. 펜션 주인은 휴가를 맞은 동생의 가족들에게 기꺼이 방을 하나 내주었죠. 펜션 주인의 동생의 자식은 일곱 살인가 그랬는데 유리창에 크레파스로 잔뜩 낙서를 해 둔 채 떠났습니다. 귀여운 일곱 살짜리 조카한테 마흔여덟 살의 고모가 화내기도 뭐하고 그날 밤 기꺼이 그 낙서를 다 지웠습니다. 잘 지워지지 않아 지우고 또 지우다 보니 유리창이 한없이 투명해질 때까지 지우게 되었습니

다. 사실 욕지거리도 몇 마디 뱉었죠. 그 다음부터 그 403호에 묵은 손님들의 후기가 이어졌습니다. 인생에서 다시는 못 볼 뷰. 이곳에서 볼 수 있다. 창문 없는 줄. 그 후로 그 펜션 주인은 혹시나 하는 마음에, 모든 방의 유리창을 투명해질 때까지 닦기 시작했고 사람들은 그 펜션으로 몰려들기 시작했습니다. 곧 주변 펜션 주인들은 왜 유독 그 펜션에만 사람들이 몰리는지 질투 나기 시작했고, 그 이유를 마침내 당연히 알아내게 되었습니다. 정답은, (투명한 유리창). 네. 그렇죠. 곧 그 지역 펜션의 모든 창문들은 투명해질 때까지 깨끗해졌어요. 몇 개의 창문은 종잇장처럼 얇아져 갔습니다. 하지만 절대 사라지지는 않았어요. 찬 바닷바람과 새들로부터 방 안의 사람들을 지켜내야 했으니까요. 그 지역은 곧 관광객들로 붐비기 시작했어요. 침대에 머리카락 몇 올이 떨어져 있고, 바닥에 죽은 벌레가 있어도 사람들은 신경 쓰지도 않았죠. 펜션 주인이 시험 삼아, 화장실 쓰레기통을 비우지 않고, 비누에 체모를 붙여 놓고, 침대 시트에 깨소금 몇 알을 뿌려 놓고, 침대 밑에 죽은 쥐를 놓았는데도 아무도 신경 쓰지 않았다고 하더라고요. 산책도 못 할 바닷가의 뷰를 방에서 보느라 사람들은 그곳에 몰려들었죠. 5초 후에 스킵할 수 있습니다. 5초?

　　　　- 광고가 끊긴다.

광고쪼가리	두 개의 조합이 만들어낼―. 뚝.

　　　　- DJ, 바 의자에 앉아서

DJ	(바 테이블을 톡톡 치며) 왜 건너고 있었나요?
고라니	그날은 엄마로부터 독립하는 날이었어요. 새끼 고라니가 어미 고라니한테 젖을 때는 날이라고 하죠. 그래서 그 길을 건너고 있었어요. 우리는 그 도로를 위험한 곳이라고 인식하지 않아요. 가족인 거 같아요. 그들과 저는 한참을 바라보고 있습니다. 왜, 나에게 아무런 말을 하지 않는 걸까요. 이상할 정도로 아무도 아무 말을 하지 않았어요. 어떡하지? 괜찮아요? 죽은 거 아니야? 빨리 전화 걸어. 뭐 이런 말들 있잖아요. 왜 아무도 아무 말을 하지 않았을까요. 단지, 저 차 안에서 들리는 적당히 절망적인 클래식 음악. 나를 비추고 있는 분위기 있는 헤드라이트 불빛. 조형성 있게 배치된, 저기서 나를 바라보고 있는 한 단위의 가족. 이 모든 것을 비추는 빛과 이 길 위를 감싸는 소리. 그리고 나를 보고 있는 꽤 많아 보이는 당신들. 당신들 뒤 개 한 마리와 눈이 마주친다. 이름이 그게 뭐야, 파트라슈라니. 야, 파트라슈. 파트라슈는 자신의 몸에 손을 대고 있는 아이를 봅니다. 개가 아이에게 물어요. 다니엘, 지금 뭘 보고 있는 거야. 아이는 개에게 물어요. 파트라슈, 넌 뭘 보고 있는 거야.
아이	미안해. 난 지금 그 숙소에 도착해 창밖에서 볼 풍경을 보고 있어.
DJ	어디로 가는 길이었죠?
고라니	저쪽으로.

DJ	당신들은 왜 하필 그때 지방 외곽도로를 타고 있었나 요?
부모1	일종의 소풍.
DJ	처음 든 생각은 무엇이었나요?
부모1	생각?
DJ	예를 들면, 권태 이런 거?
부모1	아니에요. 그런 거. 체념? 아니. 포기.
부모2	아니. 단념.
DJ	아니에요, 그런 거. 순응?
부모1	그런 거 아니라고요.
DJ	그럼?
부모1/부모2	안도감.
DJ	그렇군요. 다니엘, 너는?
아이	강제성.
DJ	그렇게 느낀 이유는?
아이	저 죽은 고라니를 너도 봐. 잘 봐, 라고 하는 거 같잖 아요. 저것을 봤기 때문에 지금은 마음이 아프겠지 만, 저것으로부터 내가 얻어 갈, 충분한 지혜 추억 있 을 거라는, 하지만 너를 평생 울게 하지는 않을 테니 안심해도 될 정도의. 부모 잭 앤 질이 자식인 다니엘 에게 멋진 뷰를 보여 주고 싶은 마음에 그 호텔을 예 약하느라 얼마나 애썼는지의 과거와, 이 죽음의 풍경 에 갇히지 않기 위해, 한시라도 빨리 호텔에 가서 뷰 를 보고 싶다는, 미래와 함께 딸려 오는 불안감. 그 풍

경보다, 그 풍경과 우리 사이의 유리가 더 선명하게 보이면 어떡하지. 하얀색 실리콘 마감 위의 누렇게 눌어붙은 때. 손자국. 코딱지. 그 유리는 한없이 투명해야만 하는데, 만약 그 유리에 그런 것들이 하나라도 붙어 있다면 어떻게 해야 하지. 다시 돌아가야 하나. 그 편이 낫지 않나. 기대했던 것을 보지 못하는 것보다는, 어쩔 수 없이 돌아왔고 그것을 보지 않는 것을 선택할 수밖에 없었다고 생각하며 돌아오는 편이 낫지 않나. 그런데 무엇을 기대했나. 이곳에서 무엇을 보기를 기대했나. 특별한 것. 고통스러운 동시에 아름다운 것. 이 그림 속으로 들어오고 싶지는 않지만. 무슨 일이 생길까. 무슨 일이 벌어져야만 할까. 이제는, 무슨 일이 일어나 주기만을 기다리는 사람들이 되어 버린 건가. 숨죽여 보는 것으로 충분한 그런 움직이는 그림 같은 것. 모두를 위한 라디오. 아무 일도 벌어지지 않게 하고는 못 버티겠죠. 그리고 곧이어 흘러나오는 자정 너머의 클래식 음악 세상. 지금은 비 오는 밤. 다음 곡입니다.

고라니 다시 돌아가야 하나.

아이 여기는 아주 잠시 머무르는 시간이에요. 지금, 숨이 막히고 눈물이 흐르겠죠. 마치 자신의 눈과 물인 것처럼. 평생 잊지 못할 것처럼. 아니면 어떻게 해야 할까요. 저 속으로, 더 걸어 들어가야 할까요. 아니면, 여기까지만 해요. 여기까지도 충분해요. 저 노루, 사슴? 아, 뭐지? 아, 머리야. 저 눈을 진짜로 봐 버릴까 봐 두려워요? 아니요. 그런 거 없어요. 진짜로 봐 버리는 거. 지금 너무 깊이 들어가 버리면, 그 호텔에 가서도 제대로 풍경을 보지 못할 것 같아요. 여기까지예요. 당신 부모들이 그랬죠. 어차피, 끝까지 걸어 들어가는 거 불가능해. 그리고 널 뒤흔들 정도로 완전히 매혹시키는 것들과는 거리를 둬. 늘 자식 다니엘에게 이야기했죠. 아, 어, 아. 저거 뭐지? 저 사람들 뭐지? 누구지? 뭘 보기 위해 이곳에 몰려든 거지? 얼굴은 보이지 않아. 아, 어.

― 동네사람1, 걸어 나온다. 어딘가로 전화를 건다.

동네사람1 안녕하세요. 구조대죠?

DJ 네. 그렇습니다. 무슨 일이시죠?

― 동네사람2, 나온다.

동네사람2 저, 지금 여기 고라니가.

DJ 아, 고라니를 치셨나요? 아, 고라니가 치였나요?

― 동네사람3, 나온다.

동네사람3 네.

| DJ | 어떤 질문에 '네'라고 하신 거죠. |

– 동네사람4, 나온다.

동네사람4 네?

| DJ | 그러니까 친 거예요, 치인 거예요. |

– 동네사람5와 6, 나온다.

동네사람5 둘 다예요.

| DJ | 그래도 하나를 골라야 해요. |

동네사람1 아, 네….

| DJ | 친 거예요, 치인 거예요? |

동네사람6 치인 거요.

| DJ | 네. 치인 거. 네. 잘 알겠습니다. 지금 상태가 어떤가요. |

– 동네사람7, 나온다.

동네사람7 쓰러져 있어요. 눈을 뜨고 있고, 우리와 눈이 마주쳐요.

| DJ | 우리요? 지금 여러 명이 지켜보고 있는 건요? 고라니의 죽음을. |

－ 동네사람8, 나온다.

동네사람8 아, 네….

DJ 몇 명이요?

－ 동네사람9, 나온다.

동네사람9 글쎄요. 그건 저로서는 정확하게 알 도리가 없어요.

DJ 고라니가 죽기 전까지 그때 어떤 상황이었나요.

－ 동네사람10, 나온다.

동네사람10 그게 중요한 건가요?

로드킬 인 더 씨어터 예고편.

DJ가 말합니다.

바삐 움직이는 빛들. 바삐 뜨는 해.

천천히 떠내려오는 하루.

물론이지, 우리 생의 가장 아름다운 날이 될 거예요.

이름 모를 풍경. 가 보지 않았다면 평생 몰랐을 풍경.

한 가족을 태운 차가, 헥헥거리는, 인간이 가장 좋아하는

> 동물 1위인 개와 함께
> 끝없이 펼쳐진 길을 신나게 달린다.
> 향수를 불러일으키는 지나치게 빠른 템포는 아닌,
> 컨트리풍 음악과 함께.

- 가사가 있는 컨트리풍 음악이 흘러나온다. 모두가 지나치게 들떠 있다. 시간이 되돌아간 것이다.

DJ　　처음 든 생각은 무엇이었나요?

부모1　생각?

DJ　　예를 들면, 좆됐다 이런 거.

부모1　아니에요. 그런 거.

DJ　　그럼?

부모1　안도감. 다행이다. 그래도.

　　　　물론 그 풍경을 보고, 우리는 다시 짐을 싸서 다시 하루 꼬박을 달려 돌아와야겠지만 결코 잊지 못할, 우리만의 풍경을 담을 수 있을 거야. 다니엘. 아무리 반복해도 외워지지 않는 그 수학 공식 때문에 시험 시간에 얼굴을 파묻고, 초등학생답지 않은 지독한 울음이 생각날 때가 올 거야. 그때 우리가 함께 말없이 숨죽이고 어둠 속에서 바라봤던 그 풍경을 떠올리면 된단다. 이제 멀미와 감기 정도는 참을 수 있겠지?

아이　　파트라슈도 데려가도 되나요.

부모2　그럼. 다시는 파트라슈의 목줄을 놓지 않을 거야.

아이   그 가족은 결국 그곳을 향해 신나게 신나게, 달려갑니다. 나, 다니엘은 어머니와 아버지가 퇴근하기를 하염없이 기다렸어요. 퇴근길에 사 온 샌드위치도 함께 차에 신나게 점프, 탑승합니다.

부모1   아, 네. 밤을 새 그곳에 도착할 예정이었어요. 그래야 하루치 일당도 받을 수 있고 하루 숙박비도 아낄 수 있을 테니까요.

부모2   라디오에서 나오는 음악. 너무나 감미로운 디제이의 목소리. 한동안 들떠 자동차 안은 시끌벅적했죠. 부모1과 2는 젊은 시절 듣던 음악이 나오는 라디오를 들으며 큰 소리로 노래를 따라 부르고, 정말 젊은 연애 시절로 돌아간 듯.

아이   뒷좌석의 아이 다니엘은 그런 어머니와 아버지의 뒤통수를 바라보며 옆 좌석의

개   개의 몸에 손을 얹고 있습니다. 사실은 정말 행복하다고 생각하고 있어. 이 순간을 망치고 싶지 않아. 누구라도, 이 순간을 망치면 죽여 버릴 수도 있을 거 같아. 쉿. 차는 가속도를 내 달리기 시작하고 심장 역시 점점 더 뛰기 시작한다. 꼭 그곳에 도착할 거야. 그곳에서 멋진, 우주와도 같은 풍경을 볼 거야. 날이 어두워지면 다니엘은, 생애 처음으로 부모1, 2의 허락을 받지 않고 감자칩을 꺼내 먹겠지. 나한테만 말한 다니엘의 비밀. "파트라슈, 나 좀 있다가 감자칩을 뜯을 거야. 오늘은 허락 같은 거 받지 않아." 만약 다니

엘을 혼내게 되면 기분 잡칠 수도 있으니 부모1과 2
도 오늘만큼은 온화한 얼굴로 다니엘을 놀려대겠지.
좋다. 파트라슈. 파트라슈의 투명한 눈동자에 쓰러
진 고라니가 비친다. 저, 눈. 파트라슈의 투명한 눈동
자에 고라니의 감겨 가는 눈이 비친다. 제가 그 고라
니의 눈을 묘사해야만 하나요? 너무 철학적이지 않
은 선에서의 묘사? 그러나 다소 추상적인 선에서의
기술? 완전하지 않아도 좋다? 사람들에게 한 시간 반
정도의 시간을 적절히 흘려보낼 수만 있다면. 나를
보고 있어요. 한참을 그렇게 우리는 바라보고 있어
요. 고라니. 저 고라니의 이름은.

고라니   그때, 돌아갔어야 했나.

DJ   바삐 움직이는 빛들. 바삐 뜨는 해.

천천히 떠내려오는 하루.

물론이지, 우리 생의 가장 아름다운 날이 될 거예요.
이름 모를 풍경. 가 보지 않았다면 평생 몰랐을 풍경.
오래 기다리셨어요. 안녕하세요. '모두를 위한 이 밤
의 라디오' 한 가족을 태운 차가, 인간이 태초부터 가
장 좋아하는 동물 1위인 개와 함께 끝없이 펼쳐진 길
을 신나게 달린다. 어머니와 아버지는 젊은 시절 듣
던 음악이 나오는 라디오를 들으며 큰 소리로 노래를
따라 부르고, 뒷좌석의 귀여운 아들은 그런 어머니와
아버지의 뒤통수를 바라보며 옆 좌석의 개의 몸에 손
을 얹고 있습니다. 개. 개는 하염없이 차창 밖을 바라

봅니다.

개   "호이! 헤븐 호텔을 예약했어." "뭐라고? 거기가 얼마나 비싼 덴데." "그 호텔 방에서 커튼을 걷는 거야. 그 액자 안의 풍경, 그 풍경 안의 그림. 그 풍경 안의 호수. 그 호수에 비치는 한 사슴의 눈. 그 사슴의 눈에 비친 한 마리의 개. 그 개의 눈에 비친 아이. 아이의 눈에 비친 고라니. 고라니의 눈에 비친 사람들. "당신 말이야. 거기서 뭘 볼 수 있는지 알아? 뭐가 보이는지 알아? 당신 무슨 생각하고 있어?"

고라니   안도감.

당연히 가지지 않습니다. 미국의 저작권법 관련 문서를 보면, 인간이 생산한 작품에 대해서만 저작권 등록을 할 수 있다고 나오거든요. 우리 원숭이가 찍은 사진이나 코끼리가 칠한 벽화 등은 저작권 등록 자격 없어요. 그러니 우주를 배경으로 제가 찍은 셀피도 언제든 누구든 사용이 가능합니다.

동네사람　언제 도착하시나요.

DJ　지금 다른 지역에 있는 동물을 구조하러 가야 해요. 빠르면 세 시간이요. 가까운 구청에 전화해 보셨나요.

동네사람　올 수 없다고 해요.

DJ　왜요.

동네 사람　죽지 않아서.

DJ　그 고라니 아직 안 죽은 거예요?

동네사람　아직도 나와 눈을 마주치고 있어요.

DJ　아직도? 눈을 마주치고 있다고요?

동네사람　네. 숨을 쉬고 있어요.

DJ　아 그렇다면, 저희도 그곳에 갈 수 없을 것 같아요.

동네사람　왜죠.

DJ　왜냐하면 고라니는 유해동물이라서요. 그렇기 때문에 죽었다면 저희가 갈 수 있어요.

동네사람　그렇다고 고라니한테 네가 죽을 때까지 기다린다고 말할 수는 없잖아요.

DJ　당연하죠.

동네사람　그리고 고라니가 지나가는 차나 사람들한테 치이거나 차이면 어떻게 해요.

DJ   그럼, 그때까지만 좀 기다려 주시겠어요?

동네사람 제가 지금 가 봐야 할 곳이 있어요.

DJ   기다리실 수 없다는 말이군요, 어디로 가요?

동네사람 중요한 미팅이에요.

DJ   기다릴 수 없다는 거군요.

동네사람 아니, 뭘.

DJ   아, 저, 고라니는 유해동물 아니에요. 유해동물은 비
            둘기죠. 제가 착각했네요.

길 위의 아주 작은 집, 테이블에 둘러앉은 비둘기들의 대화

*– 비둘기 셋, 테이블에 둘러앉아 있다. 큰 무대의 아
주 작은 곳, 좁은 테이블 위에는 음식이 있다.*

비둘기1   죄송하지만 이건 아주 짧은 장면이 될 거예요. 비둘
            기 분장을 한 셋이 아주아주 작은 테이블에 둘러앉아
            있고, 그것도 모자라 비둘기들이 말을 하고 있으니까
            요. 토끼, 코알라, 말, 소, 기린 이런 동물 친구들이면
            조금 더 흥미로울 장면이었을 텐데.

비둘기2   게다가 이 비둘기는 39분 정도 후에는 자동차를 운
            전해서 먼 거리를 달려가다가 어떤 동물을 치는 사
            람, 조겐슨(부모1)으로 등장할 거거든요. 이건 3분 34
            초밖에 안 되는 장면이죠.

- 손목시계를 본다.

지금 남은 시각은, 1분 37초라고 뜨고 있네요. 아, 36
초. 35초. 34초. 아 죄송해요. 31초, 아 정말 죄송해요.
29초예요. 정말 죄송합니다, 20, 19, 17, 정말 죄송한
데, 아. 15초가 남았어요. 걱정 마세요. 진짜 15초가
아니라, 아, 어떡하지. 아, 9초? 아, 저기 저, 아 1분 2
초니까요. 아 어떡하지. 남은 시간을 정확하게 알려
드려야 하는데, 죄송해요. 정말. 지금은 5초가 남았어
요. 아, 죄송합니다. 이런, 3초네요. 아, 저런 1초예요.
아, 죄송해요. 20초 남았어요. 아니다, 2초. 아, 어떡하
지. 아 분 단위로 넘어갔네. 아, 이러면 초로 계산하는
게 더 어려워지겠는데. 얼마 전에 아이큐 테스트를
했는데, 끝내고 나니 결과를 보고 싶으면 결제하라
고 하더라고요, 자신 있게 5유로 정도 결제했는데, 기
대요? 아, 기대 좀 했죠. 새대가리요? 네. 새대가리라
고들 하지만 제 아이큐에 대해 약간 기대하긴 했거든
요. 아, 지금은 98초 정도가 남은 시간, 5유로 유료로
결제한 아이큐 테스트가, 아 6천 6백 7십 8원, 7원? 아
니 9원인가? 아, 그거 좀 이상할 수도 있겠어요. 아 그
리고, 중간에 광고가 나올지도 몰라요. 한 비둘기가
아까부터 말이 없네요. 앞으로도 없을 것 같아요. 사
실 맥락이라는 거 만들면 그만인 거니까. 이거 운 좋
으면 실험적인 대만 뉴웨이브 영화 느낌이 날지도 모

르겠네요.

– 셋, 울고 있다.

비둘기1　너 울더라.

비둘기3　내가?

비둘기2　응. 너.

비둘기3　언제?

비둘기2　어제.

비둘기3　내가?

비둘기1　밤에.

비둘기3　그래? 미안해. 내가 그랬어? 미안한데 내가 어떻게
　　　　　울어?

– 비둘기2, 운다.
으아아아악, 끄아아악. 하악—

비둘기3　내가? 아, 미안하다.

비둘기2　아, 미안해. 내가 너무 좀 너무 그렇게 했지.

비둘기3　아, 내가 그랬으니 네가 그렇게 한 거지. 미안해. 나
　　　　　울기만 했어?

비둘기1　자다가 "미안해. 아, 미안해." 그러던데. 미안해. 미안
　　　　　해. 이거 시작되고 말겠네.

비둘기3　아, 미안해. 나 때문에 못 잤겠네. 나 때문에 시작된

거야. 내가 미안해.

비둘기2 아니야, 내가 미안하지.

비둘기1 아니야. 내가 같이 자자고 한 거잖아. 미안해. 같이 자
자고 해서 미안해.

비둘기3 야, 집구석에 방도 하나 침대도 하나인데 어떻게 같
이 안 자냐.

비둘기2 아, 그렇네. 미안해. 미처 거기까지는 생각도 못 하고.

비둘기1 아니야, 정말 미안한데 제발 미안해하지 좀 마. 나 그
렇게까지 말할 필요는 없었는데. 웃겨 보려고 했는
데 웃기지도 못하고 괜히 미안하게만 됐어. 웃기지
도 않을 말을 왜 하냐. 하는 사람이나 듣는 사람 다
미안하게.

비둘기2 아, 나 웃었는데, 미안해.

비둘기1 아, 그러라고 한 말은 아닌데, 지금 또다시 미안하게
만들어서 미안해.

비둘기3 안 되겠다. 내가 끝내 볼게. 오늘부터 안 울어 볼게.

– 사이.

비둘기3 잘 때만이라도?

– 사이.

비둘기3 혀를 꽉 깨물고 잘게.

- 사이.

비둘기3　아, 이렇게 말하면 너희가 더 미안해질까 봐 걱정이
　　　　 큰데

비둘기2　그런데 말이야, 아 말 잘라서 미안해.

비둘기3　아니야. 괜찮아. 괜찮아. 괜찮아. 말 자르게 해서 내가
　　　　 정말 미안해. 아, 게다가 내가 걱정이 크다는 말 해서
　　　　 너희 걱정까지 시키겠네. 미안합니다.

비둘기2　미안해.

비둘기1　미안해.

비둘기2　아, 미안해라는 말 끊어서

비둘기1　미안해.

비둘기3　미안해.

비둘기2　미안해.

비둘기1　미안해.

비둘기2　미안해.

비둘기3　미안. 내가.

- 사이.

비둘기2　미안한데. 맞아. 그 말을 듣고 더 미안해지기도 했고,
　　　　 내가 미안해지니까 네가 미안하다고 할 거 같은데,
　　　　 확실하지도 않은데 네가 미안해할 거 같다고 말해서
　　　　 미안하고, 진작 말하지 못해서 미안해. 네가 우는 걸

말이야. 잠잘 때. 아, 그리고 지금은 도치법을 써서 더 헷갈리게 하고 있네. 도치법. 미안해.

비둘기3 정말 미안한데, 진작? 진작? 말하지 못? 해서? 아, 미안해.

비둘기2 아. 그거 더 미안하게 됐네.

비둘기3 언제부터?

- 사이.

비둘기1 그날 이후로 계속 그러던데. 아, 진작 솔직하게 말하지 못해 미안해.

비둘기3 그렇다면 내가 더 진작 미안해. 나 때문에 계속해서 잠을 못 잔 거잖아.

비둘기2 잠을 쿨쿨 잘도 자는 것보다는 낫지 뭐. 나만 쿨쿨 잤으면 네가 자면서 울고 있는 것도 몰랐을 테니까.

비둘기3 아, 미안해. 네가 쿨쿨 잤어도 내가 울면 네가 깼을 거 아니야. 나는 내가 어떻게 우는지도 모르지만, 그게 너를 미안하게 만들 거라는 거는 애초에 알았어야 했어. 미안해. 이런 것도 죄다 알고 있어서. 그리고 자느라, 내가 어떻게 우는지도 모르고 있어서 정말 미안해.

비둘기2 아니야. 미안해하지 마. 쿨쿨 자거나 밥을 많이 먹거나 심지어 똥만 와장창 싸도 괜스레 미안해지는 거잖아.

비둘기1 끼어들어서 정말 미안한데. 아까, 잘 때만이라도 안 울어 본다고 한 거, 아니, 우선 자다가 울어서 미안하고.

비둘기3 아, 미안하다.

비둘기2 계속 울어 왔다는 거야?

비둘기3 몰랐어. 미안해. 근데 자꾸 누구한테 미안해지는 거야?

비둘기2 나도 정식으로 미안해할게. 혀를 꽉 깨물 생각을 하게 해서 미안해. 너는. 그날 이후로. 너는 자면서 눈물을 흘렸어. 내가 진작 말해 줬어야 했는데.

비둘기1 나도, 말해 줬어야 했는데. 미안해.

비둘기3 아니야, 너도 우느라 미안해서 말을 못한 거잖아.

비둘기1 알고 있었어?

비둘기2 그럼 너는 우리 둘이 자면서 우는 소리를 다 듣고 있었던 거네. 미안하게 됐어.

비둘기1 아니야. 괜찮아. 나도 울고 있었어서 괜찮았어. 아, 정말 미안해. 내가 말하지 않았으면 너희가 내가 울고 있다는 거 몰랐을 텐데.

비둘기3 아, 미안해. 알고 있었어.

비둘기2 나도, 아, 미안해. 알고 있었는데 몰랐던 것처럼 놀란 토끼눈 했어. 속이려고 한 건 아니었어. 미안해.

비둘기1 알고 있었는데, 말하지 못해서 미안하다고 말할까 봐 미리 미안해.

비둘기3 아, 정말 미안한데, 우리 오늘부터 울지 말아 볼까?

비둘기1 응, 그래 보자. 미안. 내가 첫째로서 진작 제안했어야 했는데 미안하다. 정말.

비둘기3 야! 첫째가 무슨 벼슬이야?

비둘기1 아, 미안, 내가 방금 너무 서열 따지는 말을 했지.

비둘기3 아, 미안, 그게 아니라 또 웃겨 보려고 한 거였는데 또 웃기지도 못하고 또 이렇게 되어 버렸네. 미안해. 막내로서, 내가 좀. 아 미안. Damn it. 아, 저속한 말 쓴 것도 미안해.

비둘기1 네가 더러운 말 썼을 때, 너무 놀란 표정 지었지? 미안해. 내가 태연한 척했었어야 했는데.

비둘기2 너는 때로는, 놀란 표정 안 지어도 놀란 표정인 것처럼 보일 때가 있어.

비둘기1 지는.

비둘기2 내가 뭐.

비둘기1 그래. 그건 쟤가 제일 심해.

비둘기2 그래 막내가 제일 편하긴 하겠다.

비둘기3 내가? 야, 나도 만만찮아. 어느 날 분통 터져서 길바닥에 처앉아 꽹꽹거리면서 울고 있는데 나보고 혼자 평화로우면 다냐고 뭐라고들 하더라. 그래서 거울을 봤는데 내 눈이 꽤 지독하더라고. 잠깐만, 잠깐만, 잠깐만. 우리 미안해라는 말 꽤 오랫동안 안 한 거 알아? 지금까지 우리가 울고 있던 이유가, 그거 때문이 아니었으면 어떡하지, 그럼 꽤 미안해질 거 아니야. 지금 여기서 우리가 울고 있는 게 실은 울고 있는 게 아니라면 어떡하지. 혼자 말을 너무 오래 했어. 미안해.

- 셋, 속삭인다.

비둘기2 우리가 속이고 있는 거면 어떡하지.
야, 조그맣게 말해.
우리가 속여 왔다는 거 알면 어떡하지?
우리가 속아 왔다는 거 알면 어떡하지. 나, 그녀가 죽었을 때, 앞으로 내가 살아가야 할 풍경이 그려져서, 그 자리에서 고꾸라져 계단을 굴러 버렸어. 아, 그가 그걸 알면 어떡하지.

- 셋의 시선이 열린다.

너무 너무 너무 너무 미안하다. 아, 이럴 수가, 지금 우리 엄마 이야기만 하고 있는 거 알지? 아빠가 섭섭할 텐데. 아빠한테 미안해서 어쩌지.

비둘기1 아빠는 괜찮다고 할 거야. 분명히.

비둘기2 아, 그게 더 미안한데.

비둘기3 우리, 아빠보다는 엄마를 대놓고 좋아했잖아.

비둘기2 아, 그랬네. 그때부터 진작 미안하게 됐네.

비둘기1 그럼 더 미안해지는걸. 아, 정말 미안해서 어쩌지.

비둘기2 우리가 미안해서 아빠가 괜히 미안해지면 어쩌지.

비둘기3 괜찮아. 아빠 비둘기도 죽었으니 미안해할 필요 없어.

비둘기1 와, 다행이다. 죽어서 미안해할 필요 없어.

비둘기3 엄마만 죽은 게 아니라 아빠도 죽은 거였어?

비둘기1 몰랐어?

비둘기3 아, 미안해. 몰랐어.

비둘기2 근데 이게 다 무슨 소용이야. 어차피,

비둘기1 Holy shit. 그런 건 작게 말을 하라니까.*

비둘기2 그럼 말이 안 들릴 거 아니야.

비둘기3 그러니까 말이야. 안 들리면 어떡하지. 말이.

비둘기2 그러니까 말이야. 아무리 작게 말해도 들리게는 말을 해야 하는데.

비둘기1 어차피, 이곳에 아무도 없을 수 있는데, 뭐.

비둘기2 네가 어떻게 알아.

비둘기1 안 보이잖아. 저기, 누가 앉아 있는지 보여?

비둘기2 글쎄.

비둘기3 새대가리라 그런가.

– 사이.

---

* '말하다'라는 말을 공연 연습 중 비둘기1 역을 맡은 백우람 배우가 '말을 하다'로 말했고, 이것으로부터 출발해 '말을 하다'라는 말이 탄생되었다.

비둘기1	아유, 애는. 무슨 말을 그렇게 하니.
비둘기3	미안해.
비둘기1	미안해.
비둘기2	애. 그래도 다행이지 않아? 이렇게라도 하게 돼서. 미안해.

– 셋, 테이블에 앉아 울고 있다.

또다시 알고리즘에 의한 논평 영상

날려 보냈어요. 날아올랐어요. 개막식 시작과 함께. 날아오르지 않은 비둘기들도 있었어요. 무슨 생각이었을까요. 그 비둘기들. 물론 항상 날아올라야 한다는 법은 없죠. 성화 주자들이 성화대에 불을 붙였을 때 날아가 상공을 맴돌던 비둘기들은 다시 성화대로 날아들었고, 남아 있던 비둘기들은 날아가지 않았어요. 그러니까 몸에 불이 붙었는데도 날아오르지도 않았고, 날아간 새들은 다시 불 속으로 돌아온 거예요. 고민했겠죠. 돌아가야 하나. 멈춰야 하나. 사람들 박수 쳤고, 손 흔들고. 날아가지 않은 비둘기들과 다시 불길 속으로 날아 들어오는 비둘기들. 잠깐만요. 전 새대가리라는 그런 말에 절대 동의하지 않아요. 그런 말 하면 안 되는 거예요. 이 비둘기, 새대가리라서가 아니라 의식했던 거예요. 이건 지금 인터내셔널이다. 평화의 상징인 우리가 평화 속에서 화려하게 죽어 가는 거다. 비둘기들에게는 그것이 인터내셔널 오프닝 세레모니라는 자의

식의 압박 같은 거 있었던 거예요. 스스로 불구덩이로부터 날아가지 않는 것을 선택한 거고, 불구덩이 속으로 다시 돌아오는 선택을 한 거예요. 그때 이 비둘기, 눈들 제대로 보고 하는 말이에요? 성공해야 한다는 욕망으로 가득 찬 그 눈 말이에요. 전 세계의 아주 많은 사람들이, 지켜보고 있으니까요. 인터내셔널이잖아요. 그런 거 알죠? 그러니, 다들 앞으로 새대가리 같은 말 쓰지 말아요. 철저하게 평화의 상징으로 불리길 원한 그들의 선택이었어요. 그 선택 존중해야죠.

- 셋, 시선을 조금 연다. 음악이나 빛이 더 강렬해지거나 커진다.

또 다른 알고리즘에 의한 영상

그렇다고 해서 그것이 이 세상에 없어도 된다는 말은 아니겠죠? 설마, 내가 로드킬을 당해도 된다고 스스로 생각했다고 생각하는 건 아니겠죠. 세상에서 없어질 확률이 크다는 거지. 없어도 된다는 건 아니니까요. 가난한데, 추상적인 일을 하지도 않으면 없어도 되는 존재가 되는 거예요. 없어질 수 있는 확률이 큰 존재에서, 없어도 되는 존재로 금방 비약하는 거죠. 그렇다고 해서, 내가 그 보이지도 않는 유리에 머리를 박고 죽어도 된다는 말은 아니에요. 세상에, 나는 죽어도 된다, 라고 생각할 단독자가 어디에 있겠어요. 늘 몰려다니니까, 단독자가 아니라고 생각하겠지요. 생김새가 비슷하니까 단독자가 아니라고 생각하겠지요. 우리는 단독자가 아니라, 어떤 덩어리로 존재해요. 특정적이지 않아요. 하루에 몇 "명"이고 사라졌어요. 벽에 머리를 박고 떨어진 후에는, 야생동물이 채 가거나 자동차에 치이거나 하니까 사라지는 줄도 몰랐겠죠. 그런데, 자꾸 그러니까 그제서야 알더라고요. 그래요. 투명하다는 건 정말 아름다운 거예요. 아무것도 없다는 거니까. 깊이를 가늠할 수 없을 정도의 깊이로서의 투명한 벽이 있었어요. 주변 경관을 위하여, 투명하게 설치되었다고 들었어요. 그래? 투명하다는 건 정말 아름다운 것으로 여겨지더라고요. 아무것도 없다는 것. 추상적인 말을 말하고 싶어요. 추상적이라는 것은 구체적이지 않은 것이 아니에요. 한없이 추상적인 말을 하고 싶어요. 늘, 언제나 특정적 저에게 구체적 질문만 들어왔어요. 그러나 저는 특정적이기에, 구체적이지 않을 수 있고 추상적일 수 있는 것이에요. 구체적인 말들. 그래서요? 그래서 그때 어떤 감정을 느끼셨나요? 그때가 몇 시였죠? 기억할 수 있나요. 내가 만약, "네. 기억할 수 있어요. 그리고 그 기억" 시를 쓰듯 이야기한다면 그게 당신한테 도움이 될까요. 구체적인 것을 요구하고는 그것들을 가져다가 추상적으로 써 버리죠. 지금 듣고 있는 이 물결의 소리도 어떤 것을 가미해, 추상으로 둔갑화시켜 버리겠지요. 추상적으로 말할 수 있다는 권리가 있다는 듯. 알아요. 아름다움이 뭔지는 몰라도, 당신이 본 아름다움이 나로부터 본 아름다움이 당신 삶의 동력 된다는 것. 그럴 수 있을까요. 당신은 강박적으로 모으고 논리적으로 배치한 후, 마지막에 추상적인 소리 빛 뿌립니다. 이게 비법이에요. 그리고 나서야 적이라는 사람들을 만나 함께 무엇인가를 나누지요. 내가 없는 그곳에서. 그러나 때로는 내가 없지만, 그곳에 내가 있다고 생각하겠죠. 당신이 할 것은 당신과 당신의 그것을 본 그 사람들이 아니라, 그 사이에 서 있는 것. 쉽게 사라질 수 있었던 것.

— 노크 소리.

한밤중 배에서 파도 소리를 바라보는 A와
그런 A를 바라보는 그 죽은 동물.

B   많은 사람들이 찾아와요. 당신도 그 중에 한 명이겠죠. 더 많이 해서, 더 많은 이야기를 강박적으로 모으고, 잘 배치하고 그 아름다운 빛과 아름다울 수 없는 소리를 넣어서 무엇인가를 만들고 싶은 거겠죠. 당신이 하고 싶은 것은.

당신은 노련하고 꽤 괜찮은, 수집가 같아요.

당신들은 벌써 숙소에 도착했네요. 나는 내가 직접 만든 모터를 돌려 집으로 돌아가고 있는 중이에요. 털털거리는 모터 소리는 그곳에선 들리지 않겠죠. 나의 작은 배에 달아 놓은 전구에서 발하는 빛도 알아보지 못하는군요. 시내에서 사 온 위스키를 가방에서 꺼내고, 테이블 위에 거꾸로 놓인 잔에 따라 그 아주 투명한 유리창 앞에 앉는군요. 그렇죠. 그 전에 불을 껐어야죠. 불을 켜면, 그곳에 있는 물건들이 유리창에 비쳐 여기를 제대로 볼 수 없을 테니까요. 어차피 오늘 밤 하루 머물고 당신의 고국으로, 집으로 돌아가야 할 테니 괜히 불을 밝혀서 침대 위에 놓인 머리카락 역시 굳이 볼 필요 없을 테니까요. 바닥에는 거친 모래가 떨어져 있지만 다행히 둘 다 슬리퍼를 신고 있네요. 괜찮아요. 침대 밑에 죽은 몇 마리 벌레들 영원히 보지 못할 테니. 욕조 안 죽은 쥐를 봐도 상관하지 않을 테니. 굿잡. 유리창을 열까 잠시 망설이는 듯하지만, 차가운 밤공기 때문에 감기 걸리면 큰일이니 그렇게는 하지 않아요. 당신은 나의 말을 35초 후에 스킵할 수 있어요. 이 시간이 너무 길어지게 되면 그 숙소, 그 방, 그 의자에 앉아 손을 뻗어 언제든 보지 않을 수 있어요. 새들이 하늘을 날고 있어요. 하늘길을 이탈한 새 중 한 마리가 빛을 따라 혹은 호기심에 당신들의 방 쪽으로 날아들려 하네요. 괜찮아요. 주변 경관의 미감을 위해 아주 투명할 수밖에 없었던 그 유리창에 머리를 박고 미끄러진 건 단 한 '명'일 뿐이니까요. 처참하게 죽은 새의 사체들 테라스에 쌓여 가고, 유리창에 핏자국이 살짝 묻을지도 모르지만, 지금은 어두워서 눈에 띄지 않을 테고, 내일 떠나고 나면 숙소 주인이 열심히 열심히 그러나 결코 사라지지 않을 만큼, 그 유리창을 닦을 테니까요. 그리고 당신이 직접 다행히 만질 필요 없는, 쌓여 가는 새들의 사체일 뿐이니. 찬 바닷바람과 새들로부터 방 안의 사람들을 지켜내 줄 거니까 걱정하지 말아요.

그리고 당신이 그토록 좋아하는, 멀리 펼쳐진 광활한 바다의 덧없는 아름다움과의 조합 덕분에 당신의 하룻밤 여행을, 지나친 평온함으로 지루하게 만들지 않았을 거라 생각할게요. 언제든 또 찾아와 하룻밤 머물고 다시, 하루 꼬박 걸려 당신 집으로 돌아갈 수 있는 이곳. 아, 역시, 당신, 굿잡. 가방에서 녹음기를 꺼내 테이블 위에 올려놓고, 플레이 버튼을 누르고 있군요. 아까 당신이 매혹되었던 그 바다의 파도 소리가 어둠 속에 흐르고 있고. 역시, 당신은 꽤 괜찮고 노련한.

– 파도 소리와 자율주행 자동차의 헤드라이트 빛만이 남는다.
따릉. 누군가 문 열고 들어오는 혹은 나가는 소리.

– 막 –

로드킬 인 더 씨어터 국립극단 희곡선 5

지은이 | 구자혜

2021년 10월 21일 1판 1쇄 펴냄

펴낸이	재단법인 국립극단
	예술감독 김광보
진행	지민주 이지연
주소	서울시 용산구 청파로 373
웹사이트	www.ntck.or.kr
전화	02 3279 2260

펴낸곳	걷는사람
펴낸이	김성규
편집	김은경 김도현
내지	김동선
주소	서울 마포구 월드컵로16길 51 서교자이빌 304호
전화	02 323 2602
팩스	02 323 2603
등록	2016년 11월 18일 제25100-2016-000083호
ISBN	979-11-91262-68-1